Deutsch-300 Stunden

德语 300小时

学习辅导用书

杨 静 王 姝 编著

外语教学与研究出版社

北京

图书在版编目(CIP)数据

德语300小时学习辅导用书 / 杨静，王姝编著. — 北京：外语教学与研究出版社，2011.8（2016.6 重印）
ISBN 978-7-5135-1206-0

Ⅰ.①德… Ⅱ.①杨…②王… Ⅲ.①德语—高等学校—自学参考资料 Ⅳ.①H33

中国版本图书馆 CIP 数据核字（2011）第 175240 号

出 版 人：蔡剑峰
项目策划：崔　岚
责任编辑：王　霁
责任校对：陈　琛
封面设计：张　峰
版式设计：平　原
出版发行：外语教学与研究出版社
社　　址：北京市西三环北路 19 号（100089）
网　　址：http://www.fltrp.com
印　　刷：北京京科印刷有限公司
开　　本：850×1168　1/32
印　　张：5
版　　次：2011 年 9 月第 1 版　2016 年 6 月第 6 次印刷
书　　号：ISBN 978-7-5135-1206-0
定　　价：15.00 元

＊　　＊　　＊

购书咨询：(010)88819926　　电子邮箱：club@fltrp.com
外研书店：http://waiyants.tmall.com
凡印刷、装订质量问题，请联系我社印制部
联系电话：(010)61207896　　电子邮箱：zhijian@fltrp.com
凡侵权、盗版书籍线索，请联系我社法律事务部
举报电话：(010)88817519　　电子邮箱：banquan@fltrp.com
法律顾问：立方律师事务所　刘旭东律师
　　　　　中咨律师事务所　殷　斌律师
物料号：212060001

前言

　　这本学习辅导用书是《德语300小时（修订版）》的配套教学辅助用书。本书首先对《德语300小时（修订版）》的整体结构、教学安排和课后练习进行了简要分析，读者可以藉此更好地理解教材编者的意图和各阶段的学习目标，力求帮助教师达到良好的教学效果，自学者得到最佳的学习效果。

　　此外，本书收入《德语300小时（修订版）》第二部分基础教程每课小课文和短会话的译文以及课后练习的答案。并提供第三部分阅读、翻译课文的译文、难句讲解和相关背景知识等。最后附自测题两套，供学生检测学习效果。

　　由于编者水平有限，书中难免存在一些不足之处。欢迎德语教学界的同事们和各位读者提出宝贵意见。最后，对许抗美老师对本书所提的建议和做出的校对工作表示衷心感谢。

编　者

2011年1月

目录

《德语300小时（修订版）》的结构与教学内容安排

1、《德语300小时（修订版）》的特点

原《德语300小时》于1982年出版，目的是为了适应改革开放的形势，满足广大科技人员迅速学会德语的需求，其特点是用最短的时间和最少的词汇学会德语的全部语法。《德语300小时（修订版）》在保留自身特点的前提下，扩充内容，从读、听、译扩大到听、说、读、写、译，从科技扩大到全面，把面向科技人员的语言培训手册变成全民学德语的教科书。修订后的新书可用作德语强化班、公共德语课和网络教学的教材及自学用书。

2、主教材结构

《德语300小时（修订版）》分为四部分。

第一部分：语音教程

语音阶段的教学内容为：元音和辅音的读音，基本读音规则；叙述句、命令句和疑问句的句调；简单的情景对话；分写规则。

语音阶段的教学非常重要，学生不但要学好字母在单词中的读音、读音规则和词重音及句子的语调，而且要掌握相应的发音技能。由于德语单词的读音与拼写息息相关，二者相辅相成，教师在语音教程结束后的教学中，也应注意帮助学生及时巩固语音知识。

第二部分：基础教程

基础教程共25课，每课基本由句型示例、短课文、短会话、词汇、语法和练习组成。并在每6课之后安排只由阅读翻译课文和语法复习训练两部分组成的复习课，以这4节复习课为分隔，整个基础教程形成了由浅入深层层递进的4个阶段。

教材中相对固定的教学板块能使教师更加方便地组织教学，也更加符合学生及自学者的学习习惯。在教学实践中，教师可根据实际情况安排教学计划，建议将语法讲解列为每课的重点内容。每项语法在课后练习中都有与之相对应的题目，但课后练习量略多于需要，教师可根据具体情况选用，一部分为随堂练习，一部分为课后作业。

第三部分：阅读、翻译课文

本部分共有 17 篇阅读、翻译文章。其选材新颖内容丰富，涉及到德国童话、民间传说、日常对话、电视采访、科技动态、社会问题、中德关系等。

教师可根据需要从中选取部分文章作为阅读训练，设计相应题目考察学生对于较长德语文章的理解能力；也可以摘取部分段落或句子做德译汉翻译训练，与基础教程部分中的汉译德练习互为补充；也可对部分题材的文章进行简单讲解，作为背景知识介绍给学生。自学者们也可以参照本辅导用书所提供的参考译文来加强对于德语篇章段落的认识与把握。

第四部分：语法

语法部分共 15 个单元，是对德语语法重点、难点的归纳和介绍，属于基本语法的深化。

这部分内容主要以问答形式出现，所回答的都是德语学习者在整个学习过程中遇到的最切实最不易理解的问题。而在第二部分基础教程所介绍的语法中，只要其相关内容在第四部分中出现，都有标注"详见 Grammatik……"，教师可以根据教学实际情况向学生讲解。

Lektion 9

✱ Kleintext（短课文）译文：

我们的房间是崭新的。它也漂亮。桌上放着书。晚上我们在这里工作。我们学习德语。我们读、写和译。马先生提问，我回答。马先生是技师，而我是工程师。我们努力工作。

✱ Kurzdialog（短对话）译文：

A：打扰一下！我们可以练习对话吗？

B：好的！

A：我来提问您来回答。您的名字是什么？

B：我的名字叫赵刚。

A：您住在这里吗？

B：是的，我住在这里。

A：您的老师也住在这里吗？

B：您说什么？

A：您的老师也住在这里吗？

B：不！他不住在这里。他住在城里。

A：您是工程师吗？

B：是的，我是工程师。

A：您（们）怎样学习德语？

B：我们读、写和译。

A：您（们）也经常听德语吗？

B：是的，我们经常听德语。

A："学习"用德语怎么说？

B："lernen"。

✱ 练习答案：

I 和 II 略

III. 变位！

	ich	du	er/sie/es	wir	ihr	sie/Sie
wohnen	wohne	wohnst	wohnt	wohnen	wohnt	wohnen
kommen	komme	kommst	kommt	kommen	kommt	kommen

gehen	gehe	gehst	geht	gehen	geht	gehen
stehen	stehe	stehst	steht	stehen	steht	stehen
liegen	liege	liegst	liegt	liegen	liegt	liegen
lernen	lerne	lernst	lernt	lernen	lernt	lernen
schreiben	schreibe	schreibst	schreibt	schreiben	schreibt	schreiben
arbeiten	arbeite	arbeitest	arbeitet	arbeiten	arbeitet	arbeiten
baden	bade	badest	badet	baden	badet	baden
öffnen	öffne	öffnest	öffnet	öffnen	öffnet	öffnen
rechnen	rechne	rechnest	rechnet	rechnen	rechnet	rechnen
antworten	antworte	antwortest	antwortet	antworten	antwortet	antworten
heißen	heiße	heißt	heißt	heißen	heißt	heißen
übersetzen	übersetze	übersetzt	übersetzt	übersetzen	übersetzt	übersetzen
besuchen	besuche	besuchst	besucht	besuchen	besucht	besuchen
fragen	frage	fragst	fragt	fragen	fragt	fragen
hängen	hänge	hängst	hängt	hängen	hängt	hängen
machen	mache	machst	macht	machen	macht	machen

IV. 填入人称代词！

1. Er / Sie / Ihr
2. Er / Sie / Ihr
3. du / er / sie
4. er / sie / ihr
5. Wir / Sie
6. Er / Sie / Ihr
7. du
8. Ich
9. Er / Sie / Ihr
10. Wir / Sie

V. 填入动词！（允许多个答案存在）

1. Er kommt heute.
2. Ich gehe zur Arbeit.
3. Die Bücher liegen auf dem Tisch.
4. Wie heißen Sie?
5. Der Unterricht beginnt.
6. Antworten Sie schnell?
7. Wer schreibt?

VI. 用括号内的词代替划线的词！

1. Wer *arbeitet / badet / rechnet*?
2. *Die Arbeit / Die Sitzung* beginnt.
3. Wie *heißt* du?
4. Wie heißt *du / sie / der Ingenieur / der Arbeiter*?
5. Wann *badest / gehst / lernst / rechnest / schreibst* du?
6. Wie heißt *du / sie / der Ingenieur / der Arbeiter / der Freund / der Techniker / der Student / der Lehrer*?
7. Wann *badest / gehst / lernst / rechnest / schreibst / übersetzt* du?
8. *Der Lehrer / Der Student / Der Arbeiter / Der Ingenieur / Der Techniker* fragt.

VII. 用划线的句子成分带起句子！

1. Heute kommt er.
2. Jetzt rechnet der Ingenieur.
3. Am Abend arbeitet der Lehrer.
4. Um acht Uhr kommt er nach Hause.
5. Schnell antwortet der Student.
6. Hier wohnt der Ingenieur.

VIII. 将下列不定冠词改为定冠词！

1. das Buch
2. der Dialog
3. das Kind
4. das Mädchen
5. die Tafel
6. die Sitzung
7. die Zeitschrift
8. die Zeitung
9. das Zimmer
10. der Herr
11. die Frau
12. der Ingenieur
13. die Ingenieurin
14. der Techniker
15. die Technikerin
16. der Student

17. die Studentin

18. der Arbeiter

19. die Arbeiterin

20. der Schüler

21. die Schülerin

IX. 填入下列名词的复数形式！

1. die Studenten

2. die Väter

3. die Zeitschriften

4. die Schüler

5. die Tafeln

6. die Sitzungen

7. die Lampen

8. die Familien

9. die Mädchen

10. die Kinder

11. die Zeitungen

12. die Zeitschriften

13. die Jahre

X. （略）

XI. 翻译！

1. Wer rechnet schnell? Der Ingenieur rechnet schnell.

2. Ich lerne und er badet. Übersetzt du?

3. Wie heißt das Mädchen? Sie heißt Li Ming.

4. Der Unterricht beginnt, und der Lehrer schreibt.

5. Heute kommt der Lehrer, und am Abend ist er zu Hause.

6. Das ist eine Lampe, und die Lampe ist sehr schön.

7. Entschuldigen Sie bitte! Wie heißen Sie?

8. Wie bitte? Wir übersetzen jetzt.

9. Wie heißt „fanyi" auf Deutsch? Es heißt „übersetzen".

10. Wann üben wir Dialoge?

Lektion 10

✳ Kleintext（短课文）译文：

今天我没有课，我乘车/开车到城里。我去看望我的老师。他的家人住在城里。他的妻子是教师。他们有一个 8 岁的儿子，是名小学生。我的老师德语说得非常好。我们现在讲德语。老师提问我回答。我们谈论着北京这座城市。

✳ Kurzdialog（短对话）译文：

A：您好，您最近过的怎么样？

B：谢谢！还行，您呢？

A：也还好。您现在在学习德语。您的老师叫什么名字？

B：他叫李明。

A：他有儿子或者女儿吗？

B：他有一个儿子。

A：他也学习德语吗？

B：是的。

A：您喜欢学习德语吗？

B：非常喜欢。

A：您（们）怎样学习德语呢？练习对话吗？

B：我们经常一起学习并且练习对话。

A：您（们）不听录音吗？

B：不！我们经常听录音。

A：您经常去城里吗？

B：不，我不常去城里。我有好多事情要做。

✳ 练习答案：

I. 将下列动词变位！

	ich	du	er/sie/es	wir	ihr	sie/Sie
fahren	fahre	fährst	fährt	fahren	fahrt	fahren
laufen	laufe	läufst	läuft	laufen	lauft	laufen
lesen	lese	liest	liest	lesen	lest	lesen
sprechen	spreche	sprichst	spricht	sprechen	sprecht	sprechen
essen	esse	isst	isst	essen	esst	essen

haben	habe	hast	hat	haben	habt	haben
sein	bin	bist	ist	sind	seid	sind

II. 练习！

1. Ich lese das Buch.

   Du liest das Buch, er liest auch das Buch.

   Ich lese am Tage.

   Du liest am Tage, er liest auch am Tage.

   Ich lese am Abend.

   Du liest am Abend, er liest auch am Abend.

   Ich lese täglich.

   Du liest täglich, er liest auch täglich.

2. Ich spreche schnell.

   Du sprichst schnell, er spricht auch schnell.

   Ich spreche gut.

   Du sprichst gut, er spricht auch gut.

   Ich spreche täglich.

   Du sprichst täglich, er spricht auch täglich.

3. Ich fahre schnell.

   Du fährst schnell, er fährt auch schnell.

   Ich fahre zur Arbeit.

   Du fährst zur Arbeit, er fährt auch zur Arbeit.

   Ich fahre nach Beijing.

   Du fährst nach Beijing, er fährt auch nach Beijing.

4. Ich laufe in die Stadt.

   Du läufst in die Stadt, er läuft auch in die Stadt.

   Ich laufe zur Arbeit.

   Ich laufe zur Arbeit, er läuft auch zur Arbeit.

   Ich laufe zum Unterricht.

   Du läufst zum Unterricht, er läuft auch zum Unterricht.

III. 回答！

1. Hast du eine Uhr?

   Ja, ich habe eine Uhr.

   Nein, ich habe keine Uhr.

   Hat er ein Buch?

   Ja, er hat ein Buch.

Nein, er hat kein Buch.

Hat er Kinder?

Ja, er hat Kinder.

Nein, er hat keine Kinder.

Hat sie eine Tochter?

Ja, sie hat eine Tochter.

Nein, sie hat keine Tochter.

Habt ihr Bücher?

Ja, wir haben Bücher.

Nein, wir haben keine Bücher.

Haben Sie Unterricht?

Ja, ich habe Unterricht.

Nein, ich habe keinen Unterricht

2. Sind Sie Student?

Ja, ich bin Student.

Nein, ich bin nicht Student.

Bist du Schüler?

Ja, ich bin Schüler.

Nein, ich bin nicht Schüler.

Ist er Ingenieur?

Ja, er ist Ingenieur.

Nein, er ist nicht Ingenieur.

Seid ihr Arbeiter?

Ja, wir sind Arbeiter.

Nein, wir sind nicht Arbeiter.

Ist sie Studentin?

Ja, sie ist Studentin.

Nein, sie ist nicht Studentin.

Sind Sie Arbeiterinnen?

Ja, wir sind Arbeiterinnen.

Nein, wir sind nicht Arbeiterinnen.

3. Ist das Klassenzimmer schön?

Ja, das Klassenzimmer ist schön.

Nein, das Klassenzimmer ist nicht schön.

Sind die Tische groß?

Ja, die Tische sind groß.

Nein, die Tische sind nicht groß.

Ist die Lampe neu?

　　Ja, die Lampe ist neu.

　　Nein, die Lampe ist nicht neu.

Ist er sechs Jahre alt?

　　Ja, er ist sechs Jahre alt.

　　Nein, er ist nicht sechs Jahre alt.

IV. 否定下列句子！

1. Er spricht Deutsch nicht.

　　Sie fährt nicht in die Stadt.

　　Er wohnt nicht hier.

　　Sie gehen nicht zur Arbeit.

　　Vorn ist keine Tafel.

　　Das Klassenzimmer ist nicht schön.

　　Rechts ist keine Tür.

　　Er öffnet die Tür nicht.

　　Wir arbeiten im Klassenzimmer nicht.

　　Er hat keinen Stift.

2. Haben Sie keinen Unterricht? （本题也可用 wir 作为回答的主语，则问题中的 "Sie" 可理解为 "您们"）

　　Doch, ich habe Unterricht.

　　Nein, ich habe keinen Unterricht.

　　Spricht er nicht gut Deutsch?

　　Doch, er spricht gut Deutsch.

　　Nein, er spricht nicht gut Deutsch.

　　Hören Sie keine Kassetten? （如问题中的 "Sie" 作 "您们" 理解，则回答时用 "wir" 作主语）

　　Doch, ich höre Kassetten.

　　Nein, ich höre keine Kassetten.

　　Üben Sie keine Dialoge? （如问题中的 "Sie" 作 "您们" 理解，则回答时用 "wir" 作主语）

　　Doch, ich übe Dialoge.

　　Nein, ich übe keine Dialoge.

　　Lernen Sie nicht oft zusammen? （本题中含 zusammen，"一起"之意，则问句中的 "Sie" 作第二人称尊称的复数更符合逻辑）

Doch, wir lernen oft zusammen.

Nein, wir lernen nicht oft zusammen.

1. Wir gehen durch die Fabrik. 我们穿过工厂。
2. Sie arbeiten für das Volk. 他们为人民工作。
3. Die Arbeiter arbeiten ohne Genossen Li. 没有李同志,工人们就工作了。
4. Sie sprechen über den Unterricht. 他们谈论上课的问题。
5. Die Kinder stehen um die Lampe. 孩子们站在灯的周围。

VI. 填上介词!

1. Wir sprechen über die Arbeit.
2. Die Studenten stehen um den Lehrer.
3. Die Schüler arbeiten ohne den Lehrer.
4. Wir arbeiten für das Volk.

VII. 用括号内的词代替划线的词!

1. *Die Lehrerin* besucht den Ingenieur.
2. *Das Mädchen* besucht Herrn Luo.
3. Wir besuchen *Herrn Luo / Herrn Li*.
4. Sie besuchen *den Ingenieur*.
5. *Er / Sie* besucht Herrn Li. *Wir* besuchen Herrn Li.
6. Heute haben wir *keine Arbeit / keine Sitzung*.
7. Wir hören oft *Deutsch / Dialoge*.
8. Wir üben *Hören / Sprechen / Übersetzen / Schreiben*.

VIII. (略)

IX. 翻译!

1. Heute ist Sonntag, und wir fahren in die Stadt.
2. Herr Li liest im Klassenzimmer. Herr Wang liest im Klassenzimmer nicht. Er schreibt. Herr Luo spricht Deutsch.
3. Sie sprechen nicht über den Unterricht, sondern über die Arbeit. (nicht...sondern 不是……而是……)
4. Wir arbeiten für das Volk.
5. Die Kinder fahren in die Stadt, aber der Lehrer fährt nicht.
6. Die Arbeiter gehen durch die Fabrik.
7. Wir sprechen Deutsch und üben Dialoge oft zusammen. Wir hören auch oft

Kassetten.

8. Unser Lehrer fährt nicht oft in die Stadt, denn er hat viel zu tun.
9. Hörst du keine Kassetten? Doch, ich höre Kassetten.
10. Übt ihr keine Dialoge? Nein, wir üben keine Dialoge.

Lektion 11

✳ Kleintext（短课文）译文：

一年以来，我们在李女士那儿学习德语。今天我们去看她。我们用德语和她交谈。她问李先生，李先生回答。李先生出错了。她帮助这个学生。她打开书并且给学生指出错误。他感谢老师的帮助。12点时我们在老师家吃午饭。午饭有鱼、肉、蔬菜还有啤酒，味道好极了。吃饭时她讲了她的家庭。饭后我们就回家了。

✳ Kurzdialog（短对话）译文：

A：您好！您去上课吗？

B：是的，您也去上课吗？那么我们一起去吧。

A：课什么时候开始？

B：10点钟。

A：您一周之内有4个小时（的课）吗？

B：是的，我们一周之内有4小时的课。

A：工程师们也在您的班上学习吗？

B：是的，有5个（工程师）。和他们一起学习的还有教师，工人，技师和大学生们。

A：您（们）和老师讲德语吗？

B：是的，我们和老师讲德语，但是我们经常出错。

A：老师帮助您（们）吗？

B：是的，他帮助我们学习。

A：这就是我们的教室。再见！过会儿见！

B：再见。

✳ 练习答案：

I. 练习物主代词！

1. Ist das dein Vater? Ja, das ist mein Vater.

   Ist das deine Mutter? Ja, das ist meine Mutter.

   Ist das dein Buch? Ja, das ist mein Buch.

   Ist das dein Stift? Ja, das ist mein Stift.

2. Wo wohnt eure Familie? Sie wohnt in der Stadt.

   Wo wohnt Hans? Er wohnt in der Stadt.

3. Sind das Ihre Bücher? Nein, das sind nicht meine Bücher.

   Sind das Ihre Häuser? Nein, das sind nicht meine Häuser.

4. Besuchen Sie Ihre Lehrerin? Nein, wir besuchen unsere Lehrerin nicht.

   Besuchen Sie Ihren Freund? Nein, wir besuchen unseren Freund nicht.

II. 填入冠词和物主代词！

1. Hilfst du der Freundin? Ich helfe meiner Freundin.
2. Die Kinder helfen dem Lehrer. Die Kinder helfen ihrem Lehrer.
3. Die Lehrerin hilft den Schülern. Die Lehrerin hilft ihren Schülern.

III. 填入名词！

1. Ich danke dem Lehrer.

   Er dankt dem Ingenieur.

   Wir danken dem Studenten.

   Dankt ihr dem Mädchen?

   Dankst du den Lehrerinnen?

2. Herr Müller zeigt den Studenten das Klassenzimmer.

   Frau Müller zeigt der Freundin das Haus.

   Herr Li zeigt dem Ingenieur die Straße.

   Herr Lo zeigt den Freunden die Fabrik.

   Herr Lo zeigt dem Mädchen den Fehler.

3. Herr Wang zeigt dem Schüler die Bücher.

   Hans antwortet dem Lehrer.

   Peter antwortet dem Freund.

   Wang Ping antwortet dem Ingenieur.

   Li Ming antwortet Herrn Lo.

IV. 用括号内的词来代替划线的词！

1. Ich komme von *der Lehrerin / dem Ingenieur / dem Arbeiter / dem Techniker*.
2. Er geht zu *Herrn Wang / Frau Gao / den Studenten / dem Schüler / dem Arbeiter*.
3. Seit *zwei Jahren / einer Woche / drei Wochen / 10 Tagen* wohnt er hier.
4. Wir lernen bei *Herrn Wang / Frau Zhang* Deutsch.
5. Er spricht mit *dem Schüler / dem Arbeiter / dem Techniker / den Ingenieuren*.
6. Wir kommen aus *dem Zimmer / dem Klassenzimmer / der Fabrik / dem Werk / dem Kaufhaus*.
7. Nach *der Arbeit / der Sitzung* kommt er nach Hause.

8. Ich fahre nach *Beijing / Nanjing*.

9. Wir gehen *zum Unterricht / zur Sitzung*.

10. Der Lehrer hilft den Studenten bei *dem Übersetzen / dem Lesen / dem Lernen*.

V. 填入介词！

von, zur, in, Seit, in, bei, Nach, zu, bei, Um, aus, mit, über

VI. 用右边的词填空！

1. Das Kind hilft seinem Freund bei der Arbeit.

2. Ich wohne jetzt bei meiner Mutter.

3. Die Tochter geht zu ihrem Vater.

4. Hans zeigt seinem Lehrer die Bücher.

5. Die Studenten sprechen mit ihrer Lehrerin.

VII. （略）

VIII. 翻译！

1. Besucht ihr heute euren Lehrer?

   Heute besuchen wir nicht unseren Lehrer, sondern unseren Freund.

2. Die Arbeiter fragen den Ingenieur, und der Ingenieur antwortet den Arbeitern.

   Der Ingenieur zeigt den Arbeitern seine Bücher.

3. Er wohnt jetzt bei seinem Freund und hilft seinem Freund bei der Arbeit.

4. Er geht zu seinem Lehrer. Er lernt Deutsch bei seinem Lehrer.

5. Seit drei Stunden lernt er im Klassenzimmer Deutsch, und jetzt geht er aus dem Klassenzimmer.

6. Er hilft Li Ming und zeigt Li Ming den Fehler.

7. Heute essen wir bei Li Ming zu Mittag. Es gibt Fisch, Fleisch, Gemüse und auch Bier. Es schmeckt uns sehr.

8. Beim Essen erzählt er von seiner Familie und seiner Arbeit.

9. Um zehn Uhr beginnt die Sitzung. Herr Li spricht über unsere Arbeit.

10. Wir übersetzen zusammen. Ich mache oft Fehler. Er hilft mir, und ich danke ihm für seine Hilfe.

Lektion 12

* **Kleintext（短课文）译文：**

今天我布置房间。王先生、李先生和张先生帮我布置。王先生把桌子放到灯下方，把四张椅子放到桌子旁边。我把书放到桌子上面并且把（台）灯放到书的附近。李先生把钟表挂到门上方。王先生和张先生把床放到桌子后面。我把一把椅子放到床和桌子之间。

现在房间里放着一张床、一张桌子和五把椅子。灯的下方放着一张桌子。桌子的周围有四把椅子。桌子上放着书。书的附近放着一盏灯。门上方挂着一个钟。桌子的后面放着一张床。桌子和床之间放着一把椅子。

* **Kurzdialog（短对话）译文：**

A：您在等我吗？
B：是的。我等了您一个小时。请您帮助我！
A：行！
B：我的房间很漂亮，不是吗？
A：这儿很漂亮，有很多树并且很安静。
B：小，但是安静。请您把桌子放到灯下方并且把书放到桌子上。
A：这么多的书啊！对于房间来讲桌子显得太小了。您不需要一张大点的吗？
B：不，（我需要）！我明天买一张。
A：我把花放到窗户前面，行吗？
B：不！窗前已经放了好多花了。请您把这些花放到桌子前面并且把这些椅子放到窗户前面！
A：请您把这幅画挂到床上方。
B：这样行吗？
A：非常好！
B：您有几把椅子？
A：4把。
B：您也有一盏台灯吗？
A：是的，它在后面。
B：房间现在整洁干净了。

16

I. 练习人称代词！

   1. Fragen Sie den Lehrer?

      Ja, ich frage ihn.

      Nein, ich frage ihn nicht.

     Brauchen Sie die Lampe?

      Ja, ich brauche sie.

      Nein, ich brauche sie nicht.

     Öffnen sie die Bücher?

      Ja, sie öffnen sie.

      Nein, sie öffnen sie nicht.

   2. Kaufen Sie den Stift? Ja, ich kaufe ihn.

     Kaufst du das Buch? Ja, ich kaufe es.

     Kauft ihr den Tisch? Ja, wir kaufen ihn.

     Kaufen sie Stühle? Ja, sie kaufen sie.

   3. Nimmst du den Stift? Ja, ich nehme ihn.

     Nimmt er die Bücher? Ja, er nimmt sie.

     Nehmt ihr die Lampen? Ja, wir nehmen sie.

   4. Anna, dankst du deinem Freund? Danke ihm, Anna!

     Anna, dankst du der Arbeiterin? Danke ihr, Anna!

     Anna, dankst du dem Ingenieur? Danke ihm, Anna!

   5. Die Mutter fragt das Kind. Das Kind antwortet ihr.

     Wir fragen ihre Freundin. Ihre Freundin antwortet uns.

     Sie fragen das Mädchen. Das Mädchen antwortet ihnen

     Das Mädchen fragt den Lehrer. Der Lehrer antwortet ihm.

II. 用人称代词代替划线的名词！

   1. Zeigt die Mutter ihr ihre Uhr!

   2. Zeigt Herr Li ihm auch die Häuser?

   3. Der Ingenieur zeigt sie den Kindern.

   4. Der Lehrer zeigt ihnen die Klassenzimmer.

III. 练习介词！

   1. 回答！

     Ich stelle die Tische ins Zimmer.

     Die Tische stehen im Zimmer.

Ich hänge die Lampe über den Tisch.

Die Lampe hängt über dem Tisch.

Wir legen die Stifte auf den Tisch.

Die Stifte liegen auf dem Tisch.

Ich stelle die Stühle vor das Bett / neben das Bett.

Die Stühle stehen vor dem Bett / neben dem Bett.

Die Kinder laufen auf die Straße.

Die Kinder laufen auf der Straße.

Er fährt hinter das Haus.

Er steht hinter dem Haus.

2. 填入人称代词!

Herr Li läuft hinter mich.

Mein Freund geht vor sie.

Sie wohnen neben uns.

Herr Müller wohnt über ihm.

Wer wohnt unter euch?

3. 填入名词!

Über dem Tisch hängt eine Lampe.

Vor den Studenten ist eine Tafel.

Neben dem Fenster ist eine Tür.

An dem Tisch stehen drei Stühle.

Hängen Sie bitte die Lampe über den Tisch.

Stellen Sie bitte den Tisch unter die Lampe!

Stellt die Stühle zwischen die Tische!

Laufe auf die Straße!

4. 填入介词!

Herr Wang arbeitet in der Fabrik.

Er stellt den Tisch an die Stühle.

Das Haus liegt neben der Fabrik.

Wir fahren in die Stadt.

Er steht vor dem Fenster.

5. 填入介词并加以比较!

Ich fahre nach Beijing.

Ich fahre in die Stadt.

Ich fahre zur Arbeit.

Ich komme von meinem Freund.

Ich komme von der Stadt.

Ich komme aus China.

Ich lerne bei Herrn Wang Deutsch.

Ich spreche mit Herrn Wang Deutsch.

Ich helfe Herrn Wang bei der Arbeit.

Nach einer Stunde beginnt der Unterricht.

Seit einem Jahr arbeitet er bei uns.

Nach dem Unterricht kommen wir nach Hause.

Am Tage arbeitet er, am Abend arbeitet er nicht.

Er steht vor der Tür.

Die Uhr hängt über der Tür.

Er sitzt an den Tisch.

Wir sitzen um einem Tisch.

6. 填入介词并记住搭配关系！

Ich danke Ihnen für das Buch.

Er hilft mir bei der Arbeit.

Ich warte auf meinen Freund.

Wir sprechen über die Arbeit.

Er fragt die Studenten nach ihrer Arbeit.

Um zwei Uhr beginnt die Sitzung.

Wir arbeiten für das Volk.

Er bittet mich um das Buch.

Er antwortet auf mich.

IV. 用括号内的词来代替划线的词！

1. Sie gehen *in die Fabrik / ins Werk / ins Haus*. Sie arbeiten *in der Fabrik / im Werk / im Haus*.

2. Legen Sie *die Stifte / die Zeitungen / die Zeitschriften* auf den Tisch! *Die Stifte / die Zeitungen / die Zeitschriften* liegen auf dem Tisch.

3. Er hängt *die Zeitschriften* an die Wand. *Die Zeitschriften* hängen an der Wand.

4. Die Schüler stellen *den Stuhl / das Bett* an die Tür. *Der Stuhl / Das Bett* steht an der Tür.

5. Wir fahren vor *die Fabrik / das Werk / die Schule*. Wir stehen vor *der Fabrik / dem Werk / der Schule*.

6. Hängen Sie *die Uhr* über den Tisch! *Die Uhr* hängt über dem Tisch.

7. Stellen Sie *den Stuhl / das Bett* unter den Baum! *Der Stuhl / Das Bett* steht unter dem Baum.

8. Er legt die Zeitschriften neben *die Tischlampe*. Die Zeitschriften ligen neben *der Tischlampe*.

9. Er legt *die Zeitungen / die Zeitschriften* unter das Bett. *Die Zeiungen / Die Zeitschriften* liegen unter dem Bett.

10. Ich gehe hinter *das Kind / die Studentin*. Ich stehe hinter *dem Kind / der Studentin*.

11. Wir fahren zwischen die zwei *Werke / Fabriken / Zimmer*. Wir stehen zwischen den *zwei Werken / Fabriken / Zimmern*.

V. 练习不定代词 man !

1. Was kauft man hier? Man kauft hier Stifte.

Was kauft man hier? Man kauft hier Bücher.

Was kauft man hier? Man kauft hier Lampen.

Was kauft man hier? Man kauft hier Tische.

Was kauft man hier? Man kauft hier Stühle.

Was kauft man hier? Man kauft hier Betten.

2. Man spricht von der Arbeit.

Man geht zur Arbeit.

Man fragt das Kind.

Man hilft der Schülerin.

Man zeigt mir die Bücher.

VI. （略）

VII. 翻译！

1. Über dem Bett hängt eine Lampe. Neben dem Bett stehen zwei Tische.

2. Sie gehen durch die Straße und laufen vor die Fabrik.

3. Die Kinder laufen auf die Straße. Sie laufen auf der Straße.

4. Arbeitet man heute in der Fabrik? Heute ist Sonntag und man arbeitet nicht.

5. Man spricht über unsere Fabrik.

6. Meine Kinder! Geht nicht in die Stadt und lernt zu Hause!

Wang Ping! Geh schnell zu deinem Vater! Er wartet auf dich.

7. Das Zimmer ist sehr groß und schön, und auch ruhig.

8. Der Tisch ist für die Bücher zu klein. Kaufen Sie einen großen!

9. Seit einem Jahr wohne ich hier. Die Blumen und Bäume sind sehr schön und ich wohne gern hier.

10. Hänge die Lampe über den Tisch, und du machst Hausaufgaben unter der Lampe.

Lektion 13

★ Kleintext（短课文）译文：

九月以来，我们不是在王先生那儿，而是在李先生那儿学习德语。我们努力学习。尽管下雨，我们今天还是去上课。课上，我们阅读并用德语交谈。我经常出错。李先生总是在学习上帮助我。他热爱他的工作。他不是为了钱，而是为人民工作。

★ Kurzdialog（短对话）译文：

A：你好，最近怎么样？

B：我很好，你呢？

A：也很好。工作怎么样？

B：还行。

A：你在谁那儿学习德语？

B：我在李先生那儿学习德语。

A：他很高吗？

B：是的，他很高。

A：他来自哪里？

B：他来自上海。

A：他多大年纪了？

B：他 55 岁了。

A：他住在这里吗？

B：不，他不住在这里，他住在城里。

A：他德语讲得好吗？

B：那当然了！他德语讲得很好。

A：你的德语也讲得很好吗？

B：远不是这样！我经常出错。

A：你也翻译文章吗？

B：偶尔。

A：你的老师帮助你吗？

B：是的，他经常帮我们，我们非常感谢他。

* 练习答案：

I.　练习名词第二格！

1. 回答！

　　Das sind die Bücher eures Studenten.

　　Das ist die Uhr deiner Mutter.

　　Das ist die Zeitung seiner Tochter.

　　Das ist das Bett des Schülers.

　　Das ist der Stuhl des Ingenieurs.

　　Ja, das ist Herrn Müllers Tisch.

　　Ja, das ist Herrn Lis Haus.

　　Ja, das ist Herrn Wangs Stift.

　　Ja, das ist Frau Müllers Buch.

　　Ja, das ist Li Mings Stuhl.

　　Ja, das ist der Beijinger Bahnhof.

　　Ja, das ist die Chang'an-Straße.

　　Ja, das ist der Tian'anmen-Platz.

2. 填入列出名词的第二格！

　　Er gibt der Tochter <u>seines Freund(e)s</u> ein Buch.

　　Sie gibt dem Kind <u>ihres Lehrers</u> einen Stift.

　　Er gibt dem kranken Vater <u>seines Lehrers</u> Geld.

　　Sie gibt dem Studenten <u>meines Lehrers</u> die deutsche Zeitung.

　　Er gibt dem Schüler <u>seiner Mutter</u> einen Text.

II.　填入介词 während, wegen, trotz, statt！

1. Wir übersetzen den Text <u>während der Deutschstunde</u>.

2. Er kommt <u>wegen des Geldes</u>.

3. <u>Wegen der Arbeit</u> kommt der Ingenieur nicht nach Hause.

4. <u>Statt der Zeitung</u> liest sie ein Buch.

5. <u>Wegen des Regens</u> geht er nicht ins Kaufhaus.

6. Er schreibt <u>während der Sitzung</u>.

7. <u>Statt</u> bei Herrn Li lernt er bei Herrn Wang.

8. <u>Trotz des Regens</u> besucht er seinen Lehrer.

III. 练习形容词!

1. 将下列词组变格!

第一格	der fleißige Student	der große Tisch	die junge Lehrerin	das kleine Kind	die schöne Straße
第二格	des fleißigen Studenten	des großen Tisch(e)s	der jungen Lehrerin	des kleinen Kind(e)s	der schönen Straße
第三格	dem fleißigen Studenten	dem großen Tisch	der jungen Lehrerin	dem kleinen Kind	der schönen Straße
第四格	den fleißigen Studenten	den großen Tisch	die junge Lehrerin	das kleine Kind	die schöne Straße

2.
Helfen Sie der neuen Lehrerin.
Helfen Sie dem neuen Studenten.
Helfen Sie dem neuen Ingenieur.

Geben Sie ihm den neuen Stift.
Geben Sie ihm die kleine Uhr.
Geben Sie ihm die schöne Lampe.

Fragen Sie den jungen Studenten.
Fragen Sie die neue Lehrerin.

Zeigen Sie uns die schöne Straße.
Zeigen Sie uns den neuen Platz.
Zeigen Sie uns die deutsche Zeitung.

Besuchen Sie die kranke Frau.
Besuchen Sie das kranke Kind.
Besuchen Sie den Kranken.
Besuchen Sie die Kranke.

3. 填入形容词!
Das Klassenzimmer der neuen Studenten ist oben.
Die Arbeit der jungen Arbeiter ist gut.
Der Vater des deutschen Lehrers ist Ingenieur.
Die Tochter des alten Arbeiters lernt Deutsch.
Die Mutter des kranken Studenten besucht mich.

Er liest die deutsche Zeitung.

Ich lerne bei den Vater des kleinen Mädchens Deutsch.

Wir fahren zum großen Bahnhof.

Sie besuchen das kranke Mädchen.

Ist dieses neue Buch schön?

Die Lehrerin gibt den kleinen Kindern Bücher.

Er spricht mit dem deutschen Ingenieur.

Diese fleißigen Schüler lernen gut.

Die Kinder helfen diesen alten Arbeiter.

Sie zeigen uns die schönen Häuser.

IV. （略）

V. 翻译！

1. Wang Ping ist mein Freund. Seit einer Woche arbeitet er in Beijing. Heute fahren wir in die Stadt. Ich besichtige mit ihm den schönen Tian'anmen-Platz, die Chang'an-Straße und die neuen Häuser.

2. Das ist das Klassenzimmer der neuen Studierenden. Li Mings Tochter lernt auch hier. Sie und ihre studienkollegen lernen fleißig. Im Unterricht sprechen sie Deutsch. Und nach dem Unterricht lesen sie Texte.

3. Der Ingenieur ist sehr groß. Er ist schon 56 Jahre alt. Er liebt seine Arbeit und kommt häufig sehr spät nach Hause. Er arbeitet nicht wegen des Geldes, sondern für die Fabrik.

Lektion 14

* Kleintext（短课文）译文：

九月以来，学生们跟着一位新老师学习德语。今天他们去看他。他欢迎他的新学生们。他和一位年轻的女孩用德语交谈。他德语讲得很好。可这个女孩经常出错。他帮助她并且纠正她的错误。她感谢他的帮助。然后这位老师就和他的年轻朋友们谈论北京这座城市。

* Kurzdialog（短对话）译文：

A：您好，今天我们来说说北京。北京是一座大城市吗？
B：是的，北京很大。
A：今天请您带我看一下这座城市。
B：好的。这里是天安门广场。
A：这个广场可真大。
B：完全正确！每天都有很多人来到这个广场。
A：这条街叫什么名字？
B：这是长安街，这条街很长。
A：那里是火车站，是吗？
B：是的，这是北京火车总站。
A：哦！这里建了好多新楼。这里是商店吗？
B：是的。
A：这里也有地铁车站吗？
B：在前方。

* 练习答案：

I. 将下列词组变格！

第一格	第二格	第三格	第四格
mein guter Freund	meines guten Freund(e)s	meinem guten Freund	meinen guten Freund
ein alter Kranker	eines alten Kranken	einem alten Kranken	einen alten Kranken
dein neues Buch	deines neuen Buchs	deinem neuen Buch	dein neues Buch
unsere große Fabrik	unserer großen Fabrik	unserer großen Fabrik	unsere große Fabrik
keine schöne Stadt	keiner schönen Stadt	keiner schönen Stadt	keine schöne Stadt
eure kleine Tochter	eurer kleinen Tochter	eurer kleinen Tochter	eure kleine Tochter

26

frische Milch	frischer Milch	frischer Milch	frische Milch
kaltes Wasser	kalten Wassers	kaltem Wasser	kaltes Wasser

II. 回答!

1. Das ist eine weiße Tür.

   Das ist eine schwarze Tafel.

2. Brauchen Sie eine neue Uhr? Nein, ich brauche keine neue Uhr.

   Brauchen Sie heißen Kaffee? Nein, ich brauche keinen heißen Kaffee.

   Brauchen Sie kaltes Wasser? Nein, ich brauche kein kaltes Wasser.

3. Er begrüßt einen alten Arbeiter.

   Er begrüßt einen jungen Techniker.

   Er verbessert einen deutschen Text.

   Er verbessert meinen großen Fehler.

   Er trinkt frische Milch.

   Er trinkt heißen Kaffee

   Er holt kaltes Wasser.

   Er holt heißen Kaffee.

   Die Arbeiter bauen einen großen Bahnhof.

   Die Arbeiter bauen schöne Straßen.

   Die Arbeiter bauen ein neues Kaufhaus.

   Sie wäscht ihre kranke Tochter.

   Sie wäscht ihre kleinen Kinder.

III. 改写下列句子!

1. Das ist eine neue Zeitung.

2. Das ist eine schöne Stadt.

3. Das sind junge Studenten.

4. Das ist eine alte Uhr.

IV. 用下列形容词构成名词!

1. alt – der Alte, die Alte, die Alten

2. klein – der Kleine, die Kleine, die Kleinen

3. jung – der Junge, die Jungen

4. deutsch – der Deutsche, die Deutsche, die Deutschen

V. 填入形容词并翻译短文!

große, schöne, jungen, großen, schöne, neue, großen, alte, junge, kleine

北京是一座大城市。今天我们乘车去这座美丽的城市。我带我年轻的朋友看这座宏大的北京火车站。然后我们来到美丽的长安街。在长安街上有很多新房屋。我也带他参观宏伟的天安门广场。每天都有很多年长的工人、年轻的学生和小孩子来到这个广场。

VI. （略）

VII. 翻译！

1. Sie wäscht ihre kleine Tochter.
2. Mein alter Freund besucht uns heute. Wir begrüßen den alten Freund.
3. Ich lese eine deutsche Zeitung. Er verbessert seinen neuen Text.
4. Die Arbeiter bauen ein großes Kaufhaus.
5. Ich hole die neuen Bücher und Zeitschriften.
6. Heute besuchen wir einen alten Arbeiter. Er ist 75 Jahre alt. Er spicht mit uns über seine Arbeit und seine Familie.
7. Er spricht gut Deutsch und macht keinen Fehler. Er hilft oft uns und wir danken ihm für seine Hilfe.
8. Der Tian'anmen-Platz ist sehr groß. Täglich kommen viele Menschen auf diesen Platz. Vor dem Platz ist die Chang'an-Straße. Die Straße ist sehr lang.
9. Man baut viele neue Häuser in Beijing. Es gibt Kaufhäuser, Schulen, Fabriken und Bahnhof.
10. Es gibt viele Bahnhöfe in Beijing. Der Hauptbahnhof ist sehr groß und sehr schön.

Lektion 15

✱ 课文译文:

太空

太空是无穷无尽的。对于太空来说,我们的地球只是数以十亿计天体中的一个小天体。太空也被称为宇宙。

太阳是个燃烧着的球体。它距离地球有一亿五千万公里。地球、火星和金星都围绕着太阳转动。

我们生活在地球上。我们看不到它的全貌,只能看到一部分。它看起来像一个很大的圆盘。它的边缘连接着天空,白天人们看到日出和日落,时而在左,时而在右。它带来了日夜更替,夏冬交替。晚上天空中会出现月亮和星星。实际上地球是一个圆形的球体。从地球表面的一个点直线穿过地球的中心点到达对面的点上,这个直径是一万三千公里。而它的圆周是四万公里。

月球是地球的卫星。它围绕地球转动。它离地球不是很远。太阳光照在月球上,我们才得以清楚地看到它。

太空是无穷无尽的,人们对它的探索也是无止境的。

✱ 练习答案:

I. 将下列词组变格!

第一格	第二格	第三格	第四格
ein fleißiger Student	eines fleißigen Studenten	einem fleißigen Studenten	einen fleißigen Studenten
die deutsche Zeitung	der deutschen Zeitung	der deutschen Zeitung	die deutsche Zeitung
mein guter Freund	meines guten Freund(e)s	meinem guten Freund	meinen guten Freund
dieses kleine Mädchen	dieses kleinen Mädchens	diesem kleinen Mädchen	dieses kleine Mädchen
die Kleine	der Kleinen	dem Kleinen	die Kleine
ein junger Kranker	eines jungen Kranken	einem jungen Kranken	einen jungen Kranken
heißer Kaffee	heißen Kaffees	heißem Kaffee	heißen Kaffee
kaltes Wasser	kalten Wassers	kaltem Wasser	kaltes Wasser
dieser alte Arbeiter	dieses alten Arbeiters	diesem alten Arbeiter	diesen alten Arbeiter
ein schöner Bahnhof	eines schönen Bahnhofs	einem schönen Bahnhof	einen schönen Bahnhof
sein großer Fehler	seines großen Fehlers	seinem großen Fehler	seinen großen Fehler
die rote Lampe	der roten Lampe	der roten Lampe	die rote Lampe
unsere neue Fabrik	unserer neuen Fabrik	unserer neuen Fabrik	unsere neue Fabrik

kein neues Haus	keines neuen Hauses	keinem neuen Haus	kein neues Haus
schöne Blumen	schöner Blumen	schönen Blumen	schöne Blumen
frische Milch	frischer Milch	frischer Milch	frische Mlich
grüne Bäume	grüner Bäume	grünen Bäumen	grüne Bäume
die lange Straße	der langen Straße	der langen Straße	die lange Straße
schwarze Hefte	schwarzer Hefte	schwarzen Heften	schwarze Hefte
das fleißige Volk	des fleißigen Volks	dem fleißigen Volk	das fleißige Volk
die schönen Kassetten	der schönen Kassetten	den schönen Kassetten	die schönen Kassetten
ein deutsches Bier	eines deutschen Biers	einem deutschen Bier	ein deutsches Bier

II. 将下列动词变位!

	ich	du	er/sie/es	wir	ihr	sie/Sie
besuchen	besuche	besuchst	besucht	besuchen	besucht	besuchen
brauchen	brauche	brauchst	braucht	brauchen	braucht	brauchen
danken	danke	dankst	dankt	danken	dankt	danken
entschuldigen	entschuldige	entschuldigst	entschuldigt	entschuldigen	entschuldigt	entschuldigen
fragen	frage	fragst	fragt	fragen	fragt	fragen
hören	höre	hörst	hört	hören	hört	hören
legen	lege	legst	legt	legen	legt	legen
lernen	lerne	lernst	lernt	lernen	lernt	lernen
lieben	liebe	liebst	liebt	lieben	liebt	lieben
machen	mache	machst	macht	machen	macht	machen
wohnen	wohne	wohnst	wohnt	wohnen	wohnt	wohnen
schmecken	schmecke	schmeckst	schmeckt	schmecken	schmeckt	schmecken
stellen	stelle	stellst	stellt	stellen	stellt	stellen
üben	übe	übst	übt	üben	übt	üben
übersetzen	übersetze	übersetzt	übersetzt	übersetzen	übersetzt	übersetzen
verbessern	verbessere	verbesserst	verbessert	verbessern	verbessert	verbessern
wohnen	wohne	wohnst	wohnt	wohnen	wohnt	wohnen
zeigen	zeige	zeigst	zeigt	zeigen	zeigt	zeigen
arbeiten	arbeite	arbeitest	arbeitet	arbeiten	arbeitet	arbeiten
antworten	antworte	antwortest	antwortet	antworten	antwortet	antworten
baden	bade	badest	badet	baden	badet	baden
öffnen	öffne	öffnest	öffnet	öffnen	öffnet	öffnen
rechnen	rechne	rechnest	rechnet	rechnen	rechnet	rechnen
warten	warte	wartest	wartet	warten	wartet	warten

beginnen	beginne	beginnst	beginnt	beginnen	beginnt	beginnen
bitten	bitte	bittest	bittet	bitten	bittet	bitten
essen	esse	isst	isst	essen	esst	essen
finden	finde	findest	findet	finden	findet	finden
geben	gebe	gibst	gibt	geben	gebt	geben
helfen	helfe	hilfst	hilft	helfen	helft	helfen
kommen	komme	kommst	kommt	kommen	kommt	kommen
lesen	lese	liest	liest	lesen	lest	lesen
liegen	liege	liegst	liegt	liegen	liegt	liegen
nehmen	nehme	nimmst	nimmt	nehmen	nehmt	nehmen
schreiben	schreibe	schreibst	schreibt	schreiben	schreibt	schreiben
sprechen	spreche	sprichst	spricht	sprechen	sprecht	sprechen
trinken	trinke	trinkst	trinkt	trinken	trinkt	trinken
fahren	fahre	fährst	fährt	fahren	fahrt	fahren
tragen	trage	trägst	trägt	tragen	tragt	tragen
waschen	wasche	wäschst	wäscht	waschen	wascht	waschen
gefallen	gefalle	gefällst	gefällt	gefallen	gefallt	gefallen
gehen	gehe	gehst	geht	gehen	geht	gehen
hängen	hänge	hängst	hängt	hängen	hängt	hängen
heißen	heiße	heißt	heißt	heißen	heißt	heißen
laufen	laufe	läufst	läuft	laufen	lauft	laufen
bringen	bringe	bringst	bringt	bringen	bringt	bringen

III. 填写形容词!

1. Sie stehen um einen großen Tisch.
2. Die junge Studentin ist seine Tochter.
3. Das ist die Zeitung einer neuen Lehrerin.
4. Er holt heißes Wasser.
5. Die Arbeiter bauen ein großes Haus.
6. Wir gehen ins schöne Kaufhaus.
7. Sie macht einen kleinen Fehler.
8. Die Kinder helfen diesem alten Arbeiter.
9. Wir besuchen den kranken Lehrer.
10. Wir essen frische Fische.
11. Sein junger Sohn hilft ihm bei der Arbeit.
12. Er hat einen roten Stift gekauft.
13. Sie hat einen deutschen Namen.

14. Wir arbeiten in einem großen Werk.

15. Wir alle fahren mit der neuen U-Bahn.

16. Sie trinken deutsches Bier.

17. Der Professor verbessert sowohl große als auch kleine Fehler der Studenten.
（本题中 Fehler 为复数）

18. Überall sieht man schöne und grüne Bäume.

19. Vorn ist eine schwarze Tafel.

IV. 填入正确的介词！

1. Wir gehen auf die Straße.

2. Die Studenten lesen den Text während der Deutschstunde.

3. Er kommt wegen des Regens nicht nach Hause.

4. Mein Freund fährt nach Beijing.

5. Er legt das Buch auf die Zeitung.

6. Er dankt mir für das neue Buch.

7. Trotz des Regens kommt er zu uns.

8. Ich helfe ihm bei der Arbeit.

9. Der Lehrer spricht mit den Schülern über den Unterricht.

10. Sie fragt mich nach ihrer Arbeit.

11. Die Studenten warten auf ihren Lehrer.

12. Die Studentin bittet den Lehrer um seine Hilfe.

13. Der Techniker beginnt mit seiner Arbeit.

14. Er schreibt an seine Frau.

15. Die Studenten essen zu Mittag.

16. Der Professor arbeitet an seinem neuen Buch.

17. Sie wohnt heute immer noch bei ihrer Mutter.

18. Er antwortet auf mich.

19. Er hängt die Lampe über den Tisch.

20. Die Tochter steht vor der Tür.

21. Er kommt zu mir.

22. Das Bild hängt an der Wand.

V. 翻译！

Heute ist Sonntag, und ich habe keinen Unterricht. Um acht Uhr fahre ich mit Herrn Li in die Stadt. Wir gehen in ein großes Kaufhaus. Es gibt hier Uhren, Stifte, Betten, Tische, Stühle, Lampen. Ich kaufe einen roten Stift, und der Stift schreibt gut. Herr Li kauft eine neue Uhr, und die Uhr ist sehr schön.

Lektion 16

✳ Kleintext（短课文）译文：

　　我的朋友李明现在在北京生活。昨天是星期天，我在他那。他的妻子和女儿也在家。他的女儿写家庭作业，我带给她几本新书。她很喜欢这些书。然后我们谈论她的家庭作业。她给我看她所有的作业本。我仅仅发现一些小错误。我改正了她的错误。一个小时之后，李明的妻子端上午饭。有很多好吃的东西：鱼、肉、蔬菜和汤。还有啤酒和葡萄酒。我们入座，吃饭，喝酒。饭菜的味道好极了。饭后我和李先生以及他的妻子谈论了许多有关工作和家庭的话题。三点钟我乘车回家。

✳ Kurzdialog（短对话）译文：

　　A：您好！请坐！您想要喝点什么，咖啡还是茶？
　　B：您这有绿茶还是红茶？
　　A：（有）红茶。
　　B：那么咖啡吧！我只喝绿茶。
　　A：要加牛奶或者糖吗？
　　B：（加）牛奶和糖。
　　A：这是您的咖啡，我喝茶。咖啡味道怎么样？
　　B：很好！
　　A：您要来点啤酒吗？
　　B：谢谢！不需要！我现在不喝啤酒。啤酒让人疲倦。
　　A：您只吃中餐吗？
　　B：偶尔也吃德式餐。
　　A：德式餐合您的胃口吗？
　　B：还行。

✳ 练习答案：

I.　写出下列动词的过去时！

	ich	du	er/sie/es	wir	ihr	sie/Sie
besuchen	besuchte	besuchtest	besuchte	besuchten	besuchtet	besuchten
brauchen	brauchte	brauchtest	brauchte	brauchten	brauchtet	brauchten

danken	dankte	danktest	dankte	dankten	danktet	dankten
entschuldigen	entschuldigte	entschuldigtest	entschuldigte	entschuldigten	entschuldigtet	entschuldigten
fragen	fragte	fragtest	fragte	fragten	fragtet	fragten
hören	hörte	hörtest	hörte	hörten	hörtet	hörten
legen	legte	legtest	legte	legten	legtet	legten
lernen	lernte	lerntest	lernte	lernten	lerntet	lernten
lieben	liebte	liebtest	liebte	liebten	liebtet	liebten
machen	machte	machtest	machte	machten	machtet	machten
wohnen	wohnte	wohntest	wohnte	wohnten	wohntet	wohnten
schmecken	schmeckte	schmecktest	schmeckte	schmeckten	schmecktet	schmeckten
stellen	stellte	stelltest	stellte	stellten	stelltet	stellten
üben	übte	übtest	übte	übten	übtet	übten
übersetzen	übersetzte	übersetztest	übersetzte	übersetzen	übersetztet	übersetzten
verbessern	verbesserte	verbessertest	verbesserte	verbesserten	verbessertet	verbesserten
wohnen	wohnte	wohntest	wohnte	wohnten	wohntet	wohnten
zeigen	zeigte	zeigtest	zeigte	zeigten	zeigtet	zeigten
arbeiten	arbeitete	arbeitetest	arbeitete	arbeiteten	arbeitetet	arbeiteten
antworten	antwortete	antwortetest	antwortete	antworteten	antwortetet	antworteten
baden	badete	badetest	badete	badeten	badetet	badeten
öffnen	öffnete	öffnetest	öffnete	öffneten	öffnetet	öffneten
rechnen	rechnete	rechnetest	rechnete	rechneten	rechnetet	rechneten
warten	wartete	wartetest	wartete	warteten	wartetet	warteten
beginnen	begann	begannst	begann	begannen	begannt	begannen
bitten	bat	batest	bat	baten	batet	baten
essen	aß	aßt	aß	aßen	aßt	aßen
finden	fand	fandest	fand	fanden	fandet	fanden
geben	gab	gabst	gab	gaben	gabt	gaben
helfen	half	halfst	half	halfen	halft	halfen
kommen	kam	kamst	kam	kamen	kamt	kamen
lesen	las	last	las	lasen	last	lasen
liegen	lag	lagst	lag	lagen	lagt	lagen
nehmen	nahm	nahmst	nahm	nahmen	nahmt	nahmen
schreiben	schrieb	schriebst	schrieb	schrieben	schriebt	schrieben
sprechen	sprach	sprachst	sprach	sprachen	spracht	sprachen
stehen	stand	standest	stand	standen	standet	standen
trinken	trank	trankst	trank	tranken	trankt	tranken

fahren	fuhr	fuhrst	fuhr	fuhren	fuhrt	fuhren
tragen	trug	trugst	trug	trugen	trugt	trugen
waschen	wusch	wuschst	wusch	wuschen	wuscht	wuschen
gefallen	gefiel	gefielst	gefiel	gefielen	gefielt	gefielen
gehen	ging	gingst	ging	gingen	gingt	gingen
hängen (vi)	hing	hingst	hing	hingen	hingt	hingen
hängen (vt)	hängte	hängtest	hängte	hängten	hängtet	hängten
heißen	hieß	hießt	hieß	hießen	hießt	hießen
laufen	lief	liefst	lief	liefen	lieft	liefen
bringen	brachte	brachtest	brachte	brachten	brachtet	brachten

II. 略

III. 填入动词的过去时!

1. Herr Li lernte bei Herrn Wang Deutsch.
2. Gestern hatte er Unterricht.
3. Er ging um sechs Uhr zum Unterricht.
4. Der Lehrer kam ins Klassenzimmer.
5. Der Unterricht begann.
6. Er öffnete das Buch.
7. Er fragte die Studenten.
8. Die Studenten antworteten.
9. Sie sprach mit dem Lehrer Deutsch.
10. Herr Luo machte einen Fehler.
11. Der Lehrer verbesserte den Fehler.
12. Frau Wang schrieb den Text.
13. Der Lehrer half ihm.
14. Nach dem Unterricht ging er nach Hause.
15. Sie las den Text.
16. Sie fuhr mit dem Bus in die Stadt.

IV. 将句子改为过去时!

1. Er ging ins Kaufhaus.
2. Er kaufte einen Stift.
3. Er nahm einen roten Stift.
4. Der rote Stift schrieb gut.
5. Der rote Stift gefiel ihm.

V. 将右边相应动词的过去时填入句中!

1. Wir <u>fuhren</u> in die Stadt.

   Ich <u>warte</u> vor meinem Haus.

   Wir <u>gingen</u> durch die Straße.

   An der Straße <u>baute</u> man neue Häuser.

   Ich <u>zeigte</u> meinem Freund den schönen Platz.

2. Wir <u>trugen</u> die Tische ins Klassenzimmer.

   Herr Li <u>stellte</u> einen Tisch ans Fenster.

   Er <u>hängte</u> eine Lampe über den Tisch.

   Er <u>legte</u> seine Bücher und Hefte auf den Tisch.

   Er <u>machte</u> seine Hausaufgaben.

3. Es <u>war</u> gestern zu heiß.

   Ich <u>holte</u> kaltes Wasser.

   Ich <u>wusch</u> meine Kinder.

   Ich <u>badete</u> täglich.

VI. 填入 viel, wenig, einige, alle!

1. Er trank <u>viel</u> Wasser.
2. Der Ingenieur sprach mit <u>einigen</u> jungen Arbeitern.
3. Der Lehrer fand <u>wenige</u> Fehler.
4. Er besuchte <u>alle</u> seine guten Freunde.
5. Er verbesserte <u>alle</u> diese Fehler.
6. Die Arbeit <u>vieler</u> Kinder ist gut.
7. Die Lehrerin brachte den Kindern <u>einige</u> neue Bücher.
8. In <u>allen</u> großen Fabriken arbeitet man auch am Sonntag.
9. Er wartete auf <u>einige</u> deutsche Studenten.
10. Nach <u>wenigen</u> Tagen kam er zu mir.

VII. 填空!

war, war, ging, holte, gab, war, gab, nahm

VIII. 略

IX. 翻译!

Gestern war Sonntag. Um acht Uhr fuhren mein Freund und ich mit dem Bus in die Stadt. Wir fuhren durch die Chang'an-Straße und kamen auf den Tian'anmen-Platz. Wir sahen viele Kinder und sprachen mit einigen Kindern. Wir fuhren mit dem

Bus zum Beijinger Bahnhof. Der Bahnhof war sehr groß und schön. Neben dem Bahnhof gab es viele neue Häuser. Und dann fuhr ich mit dem U-Bahn nach Hause. Die U-Bahn von Beijing ist schön, und fuhr auch schnell. Um zwölf Uhr aßen wir zu Hause. Nach dem Essen sprachen wir über unsere Hauptstadt.

Lektion 17

☀ Kleintext（短课文）译文：

上周李先生想进城。他想买一块新手表。但是他不能这样做，他必须卧床休息，因为他生病了。所以他请我帮他买一块手表。今天我去城里。那里有许多商店和超市。我走进一家商店，售货员拿给我几块表看。那些我都不喜欢。因此我去了一家大超市买了一块漂亮的手表，还有大米、面包和面条。然后就回家了。

☀ Kurzdialog（短对话）译文：

A：你们想去城里吗？

B：是的，我想去城里。王先生也想去城里，但是他不能去，他应该卧床休息，因为他生病了。他的妈妈不让他去城里。

A：李先生昨天也在王先生那吗？

B：没有！他想去看王先生，但是他没能去成，因为他昨天必须去上课。你们什么时候来我们这呢？

A：是我们去你们那儿，还是你们来我们这儿？

B：不是我们去你们家，就是你们来我们学校。王先生和李先生都在学校。

A：高先生在哪里？他不在李先生那儿，也不在刘先生那儿。

B：他也生病了，在卧床休息。你想去看他吗？

A：我不仅想去看他，也想看他的爸爸。现在我必须回家了。我想带些书回家。

B：你可以安心地把书放在我这里。

A：好极了。

B：你什么时候回来？

A：十点钟。

☀ 练习答案：

I. 将情态助动词和 lassen 变位！

	können	dürfen	müssen	sollen	wollen	möchten	lassen
ich	kann	darf	muss	soll	will	möchte	lasse
du	kannst	darfst	musst	sollst	willst	möchtest	lässt
er/sie/es	kann	darf	muss	soll	will	möchte	lässt

wir	können	dürfen	müssen	sollen	wollen	möchten	lassen
ihr	könnt	dürft	müsst	sollt	wollt	möchtet	lasst
sie/Sie	können	dürfen	müssen	sollen	wollen	möchten	lassen

II. 练习情态动词!

1. 回答!

Ja, ich kann alles essen.

Ja, das Kind kann schnell rechnen.

Ja, wir können den Text übersetzen.

Ja, er kann deinen Fehler finden.

Ich möchte eine Lampe kaufen.

Ich möchte eine Zeitung holen.

Ich möchte ein Buch lesen.

2. 用 möchten 造句

Er möchte in die Stadt fahren.

Sie möchte eine deutsche Zeitung lesen.

Ich möchte Deutsch lernen.

Wir möchten ins Kaufhaus gehen.

3. 用 müssen 回答问题!

Nein, ich kann nicht in die Stadt fahren, denn ich muss arbeiten.

Nein, wir können nicht zu euch kommen, denn wir müssen lernen.

Nein, er kann nicht auf uns warten, denn er muss um sechs Uhr zu Hause sein.

Nein, wir können nicht beginnen, denn wir müssen auf ihn warten.

4. 否定下列句子!

Er soll ihm nicht die Bücher zeigen. Er soll ihm die Hefte zeigen.

Sie sollte dem Lehrer keine Hefte bringen. Sie sollte dem Lehrer Zeitschriften bringen.

Die Studenten sollen den Text nicht lesen. Die Studenten sollen den Text übersetzen.

Die Kinder sollen nicht arbeiten. Die Kinder sollen Hausaufgaben machen.

5. 用 dürfen 和 lassen 回答问题!

Nein, ich darf nicht, mein Vater lässt mich meinen Freund nicht besuchen.

Nein, er darf nicht, sein Vater lässt ihn nicht nach Shanghai fahren.

Nein, wir dürfen nicht, unser Vater lässt uns nicht ins Zimmer kommen.

Nein, ich darf nicht, mein Vater lässt mich die Tische ins Zimmer nicht tragen.

6. 将括号内的情态助动词和 lassen 填入句中！

Er will mich besuchen.

Wir sollen gut arbeiten.

Darf ich Ihnen helfen?

Was kann man in diesem Kaufhaus kaufen?

Er möchte Kaffee trinken.

Kann das Kind gut schreiben?

Ich muss auf ihn warten.

Soll ich zu Ihnen kommen?

Der Lehrer lässt die Schüler den neuen Text übersetzen.

Ihr dürft nicht in die Stadt gehen.

Ich soll dem Lehrer Hefte geben.

7. 填入恰当的情态动词或 lassen！

Müssen wir heute Abend zurück?

Darf man hier Kassetten hören?

Er darf nicht ausgehen.

Ich möchte schwarzen Tee trinken.

Er kann, aber er will nicht.

Können Sie meine Fehler zeigen und verbessern?

Er lässt mich Zucker und Milch kaufen.

Kannst du mit mir in den Supermarkt? Ich möchte Reis und Brot kaufen.

Kann ich den Bus nehmen?

Wir wollen morgen den Text übersetzen.

Er lässt mich Sie grüßen.

III. 填空！

möchten, Sollen, möchte, will, kannst, lässt, muss, können

IV. 用连词将第一句和第二句连起来！

1. Sie holt Wasser und will ihre Tochter waschen.

2. Lesen Sie die Zeitung oder übersetzen den Text?

3. Der Ingenieur ist weder zu Hause noch in der Fabrik.

4. Er hilft sowohl den Schülern als auch den Studenten.

5. Wir wollen den Lehrer besuchen, aber er will seine Hausaufgaben machen.

6. Er kauft keinen Stift, sondern ein Heft.

7. Er darf nicht laufen, denn er ist alt.

8. Er half nicht nur den Arbeitern, sondern er lernte auch von ihnen.

9. Er kann weder schreiben noch rechnen.

10. Sowohl Herr Li als auch Herr Wang lernen Deutsch.

V. 略

VI. 翻译！

Gestern besuchte ich meinen Freund Li Ming, denn er war krank. Wang Ping wollte auch Li Ming besuchen. Er ließ mich auf ihn fünf Minuten warten. Aber nach fünf Minuten kam er nicht. Er holte die Bücher und wollte Li Ming einige Bücher mitbringen. Ich musste wieder fünf Minuten warten. Um neun Uhr kamen wir bei Li Ming an. Seine Mutter öffnete die Tür und ließ uns ins Zimmer gehen. Li Ming wollte aufstehen. Und wir sagten: „Du sollst nicht aufstehen, sondern im Bett bleiben. Wir alle wollen dich besuchen, aber sie dürfen es nicht, denn sie müssen zum Unterricht gehen."

Lektion 18

✳ Kleintext（短课文）译文：

7 月我参观了新的火车总站。它很大很漂亮。我坐火车去那儿，在那里我看到了很多东西也学到了很多东西。工人们很好地完成了他们的工作。这真是一个巨大的成功。如果我有时间的话，我想把这讲给我所有的朋友听。

✳ Kurzdialog（短对话）译文：

A：人们在那里建造了什么？

B：工人们在那建了一个新的火车站。

A：他们很好地完成了他们的工作吗？

B：是的，非常好！ 他们全心全意地工作。

A：您参观过这个新的火车站吗？

B：是的，在 7 月份。 我乘火车去那待了一个月。在那里我看到了很多东西也学到了很多东西。

A：很有趣吗？ 您一定学习到了地铁建造。

B：非常有趣。

A：您给朋友们讲过工人们的成功吗？

B：我想给他们讲，但可惜没能讲，因为我有一个星期没有在厂里。

✳ 练习答案：

I. 说出下列动词的三种基本形态！

Infinitiv	Imperfekt	PII
besichtigen	besichtigte	besichtigt
besuchen	besuchte	besucht
brauchen	brauchte	gebraucht
danken	dankte	gedankt
entschuldigen	entschuldigte	entschuldigt
erfüllen	erfüllte	erfüllt
erzählen	erzählte	erzählt
fragen	fragte	gefragt
hören	hörte	gehört
legen	legte	gelegt

42

lernen	lernte	gelernt
lieben	liebte	geliebt
machen	machte	gemacht
sagen	sagte	gesagt
schmecken	schmeckte	geschmeckt
stellen	stellte	gestellt
üben	übte	geübt
übersetzen	übersetzte	übersetzt
verbessern	verbesserte	verbessert
wohnen	wohnte	gewohnt
zeigen	zeigte	gezeigt
arbeiten	arbeitete	gearbeitet
antworten	antwortete	geantwortet
baden	badete	gebadet
öffnen	öffnete	geöffnet
rechnen	rechnete	gerechnet
regnen	regnete	geregnet
warten	wartete	gewartet
studieren	studierte	studiert
beginnen	begann	begonnen
bitten	bat	gebeten
essen	aß	gegessen
finden	fand	gefunden
geben	gab	gegeben
helfen	half	geholfen
kommen	kam	gekommen
lesen	las	gelesen
liegen	lag	gelegen
nehmen	nahm	genommen
schreiben	schrieb	geschrieben
sehen	sah	gesehen
sprechen	sprach	gesprochen
stehen	stand	gestanden
trinken	trank	getrunken
fahren	fuhr	gefahren
tragen	trug	getragen

waschen	wusch	gewaschen
bleiben	blieb	geblieben
gefallen	gefiel	gefallen
gehen	ging	gegangen
hängen (vi)	hing	gehangen
heißen	hieß	geheißen
lassen	ließ	gelassen
laufen	lief	gelaufen
bringen	brachte	gebracht

II. 把下列句子改成过去时、现在完成时和过去完成时!

1. Zeigte er Ihnen seinen Stift?

   Hat er Ihnen seinen Stift gezeigt?

   Hatte er Ihnen seinen Stift gezeigt?

2. Er kaufte ein Heft.

   Er hat ein Heft gekauft.

   Er hatte ein Heft gekauft.

3. Er ging zur Arbeit.

   Er ist zur Arbeit gegangen.

   Er war zur Arbeit gegangen.

4. Fuhren sie nach Shanghai?

   Sind sie nach Shanghai gefahren?

   Waren sie nach Shanghai gefahren?

III. 回答!

1. Herr Li hat die Aufgabe erfüllt.

   Die Arbeiter haben die Aufgabe erfüllt.

   Die Arbeiterinnen haben die Aufgabe erfüllt.

2. Er hat es seiner Mutter gesagt.

   Er hat es seinem Freund gesagt.

   Er hat es seinen Kindern gesagt.

3. Er ist im Zimmer geblieben.

   Er ist in der Fabrik geblieben.

   Er ist auf dem Platz geblieben.

4. Er hat den Bahnhof gesehen.

   Er hat die neuen Häuser gesehen.

   Er hat die Busse gesehen.

5. Die Lehrer haben diese Häuser besichtigt.

   Die Ingenieure haben diese Häuser besichtigt.

   Die Studenten haben diese Häuser besichtigt.

6. Er hatte die Schülern von dieser Arbeit erzählt.

   Er hatte dem Mädchen von dieser Arbeit erzählt.

   Er hatte den Studenten von dieser Arbeit erzählt.

7. Er hatte das Heft gefunden.

   Er hatte den Stift gefunden.

8. Mein Lehrer hatte studiert.

   Seine Tochter hatte studiert.

   Seine Frau hatte studiert.

IV. 填入列出的动词！

1. Wer hat einen Fehler gemacht?

2. Wer hat Deutsch gelernt?

3. Wem hat er die Uhr gezeigt?

4. Wer hat den Tisch ans Fenster gestellt?

5. Was hatte er gekauft?

6. Er hat schnell geantwortet.

7. Das Kind hat das Heft geöffnet.

8. Auf wen hat er gewartet?

9. Die Kinder hatten schnell gerechnet.

10. Seine Tochter hat den Tian'anmen-Platz besichtigt.

11. Der Ingenieur hat uns von ihrem Erfolg erzählt.

12. Der Student hat den Text übersetzt.

13. Die Mutter hat ihrer Tochter einen Stift gegeben.

14. Er hat Kaffee getrunken.

15. Die Uhr hat mir gut gefallen.

16. Er hat den Text noch nicht gelesen.

17. Wir sind zu Hause geblieben.

18. Seine Frau ist in die Stadt gefahren.

19. Er ist zu seinem Lehrer gegangen.

20. Die Kinder sind auf die Straße gelaufen.

21. Er ist von der Stadt gekommen.

22. Herr Li hat den Hauptbahnhof besichtigt.

23. Wir haben gestern den Text verbessert.

24. Die Studenten haben den Professor besucht.

25. Der Lehrer hat die Schüler entschuldigt.

26. Das Werk hat seine Aufgaben erfüllt.

27. Der Professor hat uns viel von seiner Arbeit erzählt.

28. Die drei Studenten haben das Buch übersetzt.

29. Was haben Sie studiert?

V. 填空！

1. Mein Freund ist in Beijing geblieben.

2. Er hat gut gelesen.

3. Sie hat die Lampe über den Tisch gehängt.

4. Er ist Arbeiter gewesen.

5. Es hat geregnet.

6. Er ist nach Shanghai gefahren.

VI. 用 wenn 将两句话连接起来！

1. Können wir vor acht Uhr dort sein, wenn wir mit dem Bus fahren?

2. Wenn man trinken will, holt man Wasser.

3. Bleib zu Hause, wenn du krank bist!

4. Wenn Sie nach Beijing kommen, müssen Sie den Tian'anmen-Platz besichtigen.

5. Wenn er heute zu mir kommt, soll er mir das Buch bringen.

VII. 略

VIII. 翻译！

1. Wenn du am Sonntag kommst, warte ich auf dich zu Hause.

2. Kommt er zu mir, wenn er heute keinen Unterricht hat?

3. Fahr in die Stadt, wenn es nicht regnet!

4. Gestern habe ich meinen Freund besucht. Seit zehn Jahren habe ich ihn nicht gesehen. Er hat mir gesagt, dass er vor drei Jahre noch ein Student gewesen war und in Shanghai studiert und dann gearbeitet hatte. Seit zwei Monaten hat er in Beijing gearbeitet. Ich fragte ihn: „Bist du in die Stadt gefahren?" Er antwortete mir: „Gestern bin ich mit dem Bus in die Stadt gefahren. Ich habe den Tian'anmen-Platz besichtigt und Li Ming besucht. Ich habe noch zwei Bücher gekauft." Wir haben auch über unsere Arbeit gesprochen. Die Arbeiter seiner Fabrik haben fleißig gearbeitet und die Aufgabe im Monat gut erfüllt. Ich bin dort drei Stunden geblieben, und dann bin ich mit dem Bus nach Hause gefahren.

Lektion 19

✳ Kleintext（短课文）译文：

2月以来，李先生在我们厂工作。他是我的一位老朋友了。每次他来看望我们，他总会给我们的女儿带本书。只要他来，他就要看看她并指给她看那本书。昨天是周日，他来到我们家。当他到的时候，我女儿还在睡觉。所以他和我说话，一直等到她来。

李先生非常能干。自从他在我们厂工作以来，他总会完成他的任务。他也勤奋地学习。他经常对我说："活到老，学到老"。当我们聊天的时候，我女儿就在读她的新书。当她读完书，就走了出房间，并且在走之前，她再次感谢了李先生。

✳ Kurzdialog（短对话）译文：

A：过来，我亲爱的女儿，王先生来了。

B：你好！

C：你好，小燕！今天我给你带了一本很有趣的书来。

B：太好了！让我看一看！

C：这是关于一个小女孩的。她独自生活。大家都帮助她。然后她上了学而且学习很勤奋很好。她住在自己的老师家，每天和她一起去上课。有一天她病得很重，发高烧。老师很快找来一位医生。医生给她做了检查并开了药。过了几天她又恢复了健康。

B：我喜欢看这样的书。

A：那好，小燕。拿着这本书去你的房间看吧。我要和王先生谈一下我们的工作了。

✳ 练习答案：

I. 变位!

1. Ich werde alt.

   Du wirst alt.

   Er/ Sie /Es wird alt.

   Wir werden alt.

   Ihr werdet alt.

   Sie / Sie werden alt.

2. Ich werde kommen.

Du wirst kommen.

Er/ Sie / Es wird kommen.

Wir werden kommen.

Ihr werdet kommen.

Sie / Sie werden kommen.

3. Ich werde nach Shanghai fahren.

Du wirst nach Shanghai fahren.

Er/ Sie / Es wird nach Shanghai fahren.

Wir werden nach Shanghai fahren.

Ihr werdet nach Shanghai fahren.

Sie / Sie werden nach Shanghai fahren.

II. 用第一将来时造句！

1. Er wird uns von seiner Arbeit erzählen.

2. Wir werden in Beijing studieren.

3. Er wird in die Stadt fahren.

4. Ich werde zu Hause bleiben.

III. 将下列并列复合句变成主从复合句！

1. Mein Freund kann nicht kommen, weil es regnet.

2. Er musste einen neuen Stift kaufen, weil er seinen Stift nicht gefunden hatte.

3. Ich habe ihn nicht gesehen, weil er nicht da war.

IV. 回答！

1. Ich fahre in die Stadt, weil ich den Freund besuchen will.

2. Ich fahre in die Stadt, weil ich den Bahnhof besichtigen will.

3. Ich fahre in die Stadt, weil ich dem Freund die Uhr bringen will.

4. Ich fahre in die Stadt, weil ich mit Herrn Li über die Arbeit sprechen will.

V. 填入宾语从句！

1. Wissen Sie, ob Li Ming sein Heft zu Hause gelassen hat? / Wissen Sie, dass Li Ming sein Heft zu Hause gelassen hat?

Wissen Sie, ob sein Vater nach Beijing fahren wird? / Wissen Sie, dass sein Vater nach Beijing fahren wird?

Wissen Sie, ob er auf seinen Freund warten muss? / Wissen Sie, dass er auf seinen Freund warten muss?

Wissen Sie, ob seine Tochter schön schreiben kann? / Wissen Sie, dass seine

Tochter schön schreiben kann?

2. Sagen Sie, wer das gemacht hat!

   Sagen Sie, warum er in die Stadt gefahren ist!

   Sagen Sie, wer seinen Stift gefunden hat!

   Sagen Sie, wann er hier studiert hat!

VI. 用 wenn 或 als 造主从复合句！

1. Wenn er nach Hause kommt, wartet sie auf ihn.

2. Als er sie besuchte, erzählte er ihnen von der Arbeit.

3. Als er zur Arbeit ging, schlief ich noch.

4. Wenn der Tag beginnt, geht man in die Fabrik.

5. Wenn er in Beijing ist, besucht er uns immer.

6. Als er uns besuchte, brachte er uns deutsche Zeitungen.

7. Als er 18 Jahre alt war, arbeitete er in einer Fabrik.

8. Als er in die Stadt ging, sah er seinen Freund.

VII. 用 nachdem 或 als 造主从复合句！

1. Als er kam, schlief ich.

2. Nachdem er gebadet hat, geht er ins Bett.

3. Als er nach Beijing kam, hatte er dort keine Freunde.

4. Nachdem er den Text übersetzt hat, liest er Zeitungen.

5. Nachdem er seine Hausaufgaben gemacht hatte, fuhr er in die Stadt.

VIII. 填入时间状语从句！

1. Bevor Herr Müller ins Bett geht, badet er.

2. Solange er in Beijing lebte, wohnte er bei seinem Freund.

3. Er bleibt in der Fabrik, bis er seine Aufgaben erfüllt.

4. Ich warte, bis die Kinder schlafen.

5. Seitdem er hier gelernt hat, hat er viele Fabriken besichtigt.

6. Sobald ich meine Arbeit gemacht habe, besuche ich meine Freunde.

IX. 填入情态动词！

1. Er sagte mir, dass er zum Lehrer hat kommen sollen.

2. Wissen Sie, ob er gestern den Text hat übersetzen können.

3. Er fragt mich, ob ich ihre Familie habe besuchen wollen.

4. Sie antwortet, dass sie in die Stadt hat fahren müssen.

X. 略

XI. 翻译！

1. Seitdem er in Beijing lernt, besucht er uns sonntags.
2. Bevor er kommt, sollst du nicht schlafen.
3. Während er arbeitet, schlafe ich.
4. Sobald er Kaffee getrunken hat, arbeitet er.
5. Solange ich hier lerne, helfe ich dir.
6. Er korrigiert den Text, bis ich komme.
7. Als sie das Zimmer besichtigten, sprach ich mit einem Ingenieur.
8. Nachdem sie das Bett ins Zimmer getragen haben, stellen sie auch den Tisch und die Stühle ein.
9. (Immer) wenn er eine Fabrik besichtigt, erzählt er mir etwas davon.
10. Weißt du, dass sie gestern uns haben besichtigen wollen? Aber sie hatten gestern keine Zeit. Wenn sie Zeit haben, werden sie zu uns kommen.

Lektion 20

✱ Kleintext（短课文）译文：

今天是周一，10 月 12 日。会议在 8 点钟开始。坐在前面讲话的那位先生是我的朋友。他在德国待了 6 年，在那里学习机械制造。现在他在我们昨天参观的那家大工厂里作工程师。他向我们介绍工厂取得的成功。他讲的所有东西对我而言都是新鲜的。他也说到了他昨天向我讲解过的任务。在 11 点钟会议结束。

✱ Kurzdialog（短对话）译文：

A：今天几号？

B：今天是 10 月 12 日。

A：这是北京最美的季节了。

B：是的，您说对了。秋天是我们这里最美的季节。

A：天气真好。随处可见树和花。但秋天很凉爽又短暂，是吗？

B：是的，很短，在深秋的时候就已经很凉了。

A：春天也这么短吗？

B：也很短。冬天和夏天在我们这儿却长些。

A：我听说了，在北京夏天非常热。

B：很热！

A：冬天怎么样？

B：那时很冷。

A：原来如此！请问几点钟了？

B：8 点过 5 分。

A：这么早？

B：哦不！我的表停了。

✱ 练习答案：

I. 填入冠词和关系代词！

1. Gehen Sie durch die Straße, die ich Ihnen gezeigt habe!

2. Gehen Sie über den Platz, den Sie vor dem Bahnhof sehen können!

3. Gehen Sie in die Fabrik, die neben dem Bahnhof liegt!

4. Gehen Sie zu Herrn Li, der im Zimmer 201 wohnt!

5. Sehen Sie die Lampe, die in diesem Zimmer hängt!

6. Besuchen Sie die Stadt, in der wir gewohnt haben!

7. Vor einer Woche haben wir die zwei Fabriken besichtigt, von denen man viel spricht.

8. Begrüßen Sie die deutschen Freunde, denen wir unsere Fabrik zeigen wollen!

9. Sprechen Sie mit dem / den Studenten, dessen / deren Lehrer mein Freund ist!

10. Er arbeitet mit einem Ingenieur, dessen Vater mir sehr viel bei der Arbeit geholfen hat!

11. Wir werden in diesem Haus wohnen, dessen Zimmer uns sehr gut gefallen haben.

12. Wir helfen den kleinen Kindern, deren Mutter nach Shanghai gefahren ist.

II. 用关系代词连接句子！

1. Zeigen Sie mir die Uhr, die Sie gefunden haben!

2. Verbessern Sie den Fehler, den ich gemacht habe!

3. Diese Schule, die wir gestern besichtigt haben, gefiel uns sehr.

4. Die Studenten, denen der Lehrer hilft, lernen fleißig.

5. Mein Lehrer, dessen Unterricht beginnt, hat keine Zeit.

6. Das Haus, in dem Herr Wang wohnt, ist neu.

III. 在句中填入指示代词 der，die，das！

dem; Die; Den; Denen; dessen

IV. 读出下列数字！（略）

V. 回答！（略）

VI. 略

VIII. 翻译！

1. der zehnte Oktober neunzehnhundertachtundneunzig, der dritte Juni zweitausend, der zwanzigste Oktober zweitausendvier, der zwanzigste Juli zweitausendacht, halb fünf, viertel vor neun, vietel nach zehn, zwanzig Minuten nach sechs, zwanzig Minuten vor zwölf.

2. Die Stadt hat mehr als eine Million Menschen. Davon sind über 200 000 Arbeiter und über 50 000 Lehrer.

3. Die Frau, die ich frage, ist seine Mutter.

4. Der Arbeiter, der Zeitungen liest, ist sein Vater.

5. Das sind die Häuser, in denen die Arbeiter wohnen.

6. Er dankt den Ingenieuren, die ihm geholfen haben.
7. Ich spreche mit dem Lehrer / der Lehrerin, dessen / deren Tochter auch in der Schule lernt.
8. Der Herbst ist die schönste Jahreszeit in Beijing. Das Wetter ist sehr schön. Überall sind Bäume und Blumen. Man fühlt sich sehr angenehm. Aber er ist sehr kurz. In der Nacht ist es sehr kühl. Und im Spätherbst ist es am Tag auch sehr kühl.
9. Der Frühling kommt sehr spät in Beijing. Das Wetter ist noch schön. Es ist noch sehr kühl am Morgen und Abend. Am Tag ist es warm. Und überall kann man grüne Bäume und schöne Blumen sehen. Aber er ist sehr kurz.
10. Der Sommer kommt sehr früh und beginnt schon im Juni. Und er ist erst im September wirklich zu Ende. Es ist sehr heiß im Sommer und regnet oft. Man steht sehr früh auf, geht sehr spät ins Bett und badet jeden Tag.
11. Im Winter ist es sehr kalt in Beijing. Und der Winter ist auch sehr lang. Man bleibt gern zu Hause und schläft mehr als im Sommer.

Lektion 21

✳ 课文译文：

鼠塔

（一个关于莱茵河的传说）

在宾根市附近的莱茵河中，耸立着一座塔楼，人们称它为鼠塔。提起这座塔人们总会讲起下面的传说。

968 年，在莱茵河畔的美因茨住着一位叫作哈托的主教。他有一副铁石心肠。那时，莱茵河地区正经受着饥荒。许多人饿死了。这位主教却保存了很多谷物。他的大仓库都被粮食填满了。

当饥荒变得越来越严重的时候，人们聚集在主教的宫殿前，含泪向他求助，但这只是徒劳。主教大笑着说："你们饿是因为你们懒。我不会帮你们的。"但是这些不幸的人们不愿离去。他们的情绪越来越大。最后主教答应给他们面包。他们需要第二天一早在一个大的空仓库里集合。可是当他们在那里集合之后，哈托下令将仓库锁起来并放火烧掉。他的仆人们去执行这个命令，而主教和他的朋友们却坐在一张摆满了美味佳肴的桌子旁大吃大喝。当他们听到那些在仓库里烧着的不幸人们的垂死呼喊时，哈托只是大笑着叫道："你们听到谷子里的老鼠们在叫吗？"

客人们都一言不发。而当哈托要吃午饭的时候，硕大的灰老鼠从各个角落里爬出来，穿过窗户爬进来，从屋顶爬下来。它们跳到桌子上，就在这些受惊的宾客眼前啃食菜肴。越来越多的老鼠涌来，它们吃光了所有的东西，甚至是最后一块面包。主教的仆人们和他的客人们逃出了城堡。

主教也想要逃走。他登上一艘船，沿莱茵河顺流而下，直到河中央的那块耸立着塔楼的岩石。"在这座塔里我是安全的"，他想。老鼠们却跟着他；成千上万的老鼠游过莱茵河，爬上围墙，穿过门窗爬进塔里，吃掉它们能找到的一切。此时哈托站到了塔楼顶上。但是老鼠们也爬到了那里，把这位不人道的暴君活生生地吃光了。

这就是莱茵河中这座孤零零的塔楼的传说。

✳ 练习答案：

I. 写出下列动词的三种基本形态！

Infinitiv	Imperfekt	PII
besichtigen	besichtigte	besichtigt

besuchen	besuchte	besucht
entschuldigen	entschuldigte	entschuldigt
erfüllen	erfüllte	erfüllt
erzählen	erzählte	erzählt
übersetzen	übersetzte	übersetzt
verbessern	verbesserte	verbessert
arbeiten	arbeitete	gearbeitet
antworten	antwortete	geantwortet
baden	badete	gebadet
öffnen	öffnete	geöffnet
rechnen	rechnete	gerechnet
regnen	regnete	geregnet
warten	wartete	gewartet
studieren	studierte	studiert
beginnen	begann	begonnen
bitten	bat	gebeten
essen	aß	gegessen
finden	fand	gefunden
geben	gab	gegeben
helfen	half	geholfen
kommen	kam	gekommen
lesen	las	gelesen
liegen	lag	gelegen
nehmen	nahm	genommen
schreiben	schrieb	geschrieben
sehen	sah	gesehen
sprechen	sprach	gesprochen
stehen	stand	gestanden
trinken	trank	getrunken
fahren	fuhr	gefahren
tragen	trug	getragen
waschen	wusch	gewaschen
bleiben	blieb	geblieben
gefallen	gefiel	gefallen
gehen	ging	gegangen
hängen (vi)	hing	gehangen
heißen	hieß	geheißen
lassen	ließ	gelassen

laufen	lief	gelaufen
bringen	brachte	gebracht

II. 填入关系代词!

1. Die Studenten, deren Lehrer mein Freund ist, lernen alle fleißig.
2. Das Mädchen, dem du immer halfst, ist Lehrerin geworden.
3. Herr Li, über den wir gestern gesprochen haben, ist gekommen.
4. Das Kaufhaus, dessen Tür rot ist, ist sehr groß.
5. Die Ingenieure, mit denen wir gearbeitet haben, sind jung.
6. Das Buch, das er mir zeigt, ist sehr schön.
7. Das sind neue Häuser, in denen die Arbeiter wohnen.
8. Ich frage das Kind, von dessen Vater ich gekommen bin.
9. Der Herr, der hier schreibt, ist sein Vater.
10. Die Fabrik, von der ich Ihnen erzählt habe, ist sehr groß.
11. Der Supermarkt, in dem wir eingekauft haben, ist 1998 gebaut worden.
12. Die Straße, auf der wir fahren, ist die Chang'an-Straße.
13. Der Bus, in den er eingestiegen ist, fährt ab.
14. Der Zug, der nach Shanghai fährt, kommt an.
15. Der Erfolg, den die Fabrik erzielt hat, ist wirklich groß.
16. Der Arzt, der ihn untersucht hat, verschreibt ihm Arzneien.
17. Er benutzt oft das Wörterbuch, das ich für ihn gekauft habe.
18. Die Sitzung, an der Wang Ping teilgenommen hat, ist zu Ende.
19. Der Monat, den wir hinter uns haben, hat uns viel Spaß gemacht.
20. Die schönste Jahreszeit, die wir in einem Jahr haben, ist der Herbst.

III. 用动词的正确时态填空!

1. Nachdem ich den Text übersetzt habe, gehe ich zum Lehrer.
2. Gestern fand ich meinen Füller.
3. Was kauften Sie gestern?
4. Als er kam, schlief ich.
5. Solange er in dieser Stadt lernt, hilft er mir.
6. Wenn er mich besucht, bringt er meiner Tochter ein Buch.
7. Während er aß, trank ich Kaffee.
8. Seit zwei Stunden liest er Zeitungen.
9. Vor drei Jahren war er Arbeiter.
10. Er sagte mir, dass er gestern in die Stadt fuhr.

IV. 在句中填入连词!

1. <u>Solange</u> ich Zeit habe, besichtige ich diese Schule.
2. Fragen Sie ihn, <u>ob</u> er heute Unterricht hat!
3. <u>Wenn</u> er kommt, besucht er mich.
4. Er wartet, <u>bis</u> ich den Text übersetzt habe.
5. <u>Bevor</u> er ins Bett geht, trinkt er keinen Kaffee.
6. Wissen Sie, <u>wo</u> er wohnt?
7. Das Haus ist <u>sowohl</u> groß <u>als auch</u> neu.
8. Er lag im Bett, <u>weil</u> er krank war.
9. Der Ingenieur ist <u>entweder</u> zu Hause <u>oder</u> in der Fabrik.
10. Es regnet, <u>aber</u> er fährt noch in die Stadt.

V. 将列出的词填进适当的地方!

1. Er zeigt dem Studenten ein neues Buch.
2. Kauft die Mutter ihm eine Uhr?
3. Hat er ihr ein neues Heft gegeben?
4. Er hat es ihm gebracht.
5. Er sagt mir, dass sein Vater gekommen ist.
6. Er fragt uns, ob wir ihn besuchen werden.
7. Ich will Ihnen von seinem Erfolg erzählen.
8. Wenn ich Zeit habe, lese ich die deutsche Zeitung.
9. Haben die Arbeiter ihre Aufgabe erfüllt?
10. Wissen Sie, ob er heute in der Fabrik bleiben muss?
11. Das Buch, das auf dem Tisch liegt, ist neu.

VI. 翻译!

Li Ming ist mein guter Freund. Er studierte vom September 1980 bis zum Juli 1984 an unserer Universität. Dann lernte er ein Jahr Deutsch. Im Oktober 1986 fuhr er nach Deutschland. Er war sechs Jahre in Deutschland, wo er Maschinenbau studiert hat. Im Jahre 1992 kam er nach China zurück und arbeitete als Chefingenieur in einer großen Fabrik. Er fährt jeden Tag sehr früh mit der U-Bahn zur Arbeit und kam sehr spät nach Hause zurück. Er arbeitet mit Leib und Seele, und erzielt einen sehr großen Erfolg. Durch seine Arbeit wird die Produktion seiner Fabrik Jahr um Jahr erhöht, und die Qualität wird jährlich verbessert. Alle Jahre können die Aufgaben erfüllt werden. Im letzten Jahr ist die Produktion als im vorletzten Jahr um 10% erhöht worden.

Li Ming hat eine gute Familie. Seine Frau ist eine Professorin an der Universität, und die Tochter studiert nun. Am Wochenende gehen sie entweder einkaufen oder Freunde besuchen. Oder sie bleiben zu Hause und lesen Bücher bzw. Zeitungen.

Lektion 22

⋆ Kleintext（短课文）译文：

李先生已经做工程师很久了。他能讲德语。9 月份时有人给他看了一台德国的机器。德国的工程师给他讲怎样用这台机器工作。但是有几个词他还是不懂。因此他使用了词典。现在他已经能够听懂德国工程师（的话了）。今天人们很好地用这台机器工作。借助这台机器，11 月份到 12 月份的产量又提高了 10%，也就是说产量提高到 110%。

⋆ Kurzdialog（短对话）译文：

A：商店现在还开着吗？

B：商店已经关门了。

A：这里都卖什么？

B：这里卖钟表、桌子、椅子、床、练习本和灯。

A：人们在这里也能买到大米、面包、鱼、肉、蔬菜、啤酒和红酒吗？

B：那当然了！

A：这里没有大衣卖吗？

B：不是的！这里卖夹克和大衣。

A：为什么今天（他们）不上班呢？

B：现在已经晚上 8 点了。在我们这里人们只工作到 7 点。

A：商店星期天也开门吗？

B：不，周末不开门。

A：我总是有购物方面的问题。

B：购物很容易。请您明天来！我帮你购物。

⋆ 练习答案：

I. 将下列句子变为过去时、现在完成时、过去完成时和将来时！

1. Er wird gefragt.

   Er wurde gefragt.

   Er ist gefragt worden.

   Er war gefragt worden.

   Er wird gefragt werden.

2. Das Haus wird gebaut.

   Das Haus wurde gebaut.

Das Haus ist gebaut worden.

Das Haus war gebaut worden.

Das Haus wird gebaut werden.

3. Das Wort wird erklärt.

Das Wort wurde erklärt.

Das Wort ist erklärt worden.

Das Wort war erklärt worden.

Das Wort wird erklärt werden.

4. Das Fenster wird geöffnet.

Das Fenster wurde geöffnet.

Das Fenster ist geöffnet worden.

Das Fenster war geöffnet worden.

Das Fenster wird geöffnet werden.

II. 回答！

1. Das Mädchen wird gefragt.

Der Student wird gefragt.

Das Kind wird gefragt.

2. Der Text muss erklärt werden.

Der Fehler muss erklärt werden.

Die Aufgabe muss erklärt werden.

Das Wort muss erklärt werden.

3. Die Lampe wurde benutzt.

Die Maschine wurde benutzt.

Das Wörterbuch wurde benutzt.

4. Die Produktion ist um 8% / 6% / 22% erhöhlt worden.

Die Produktion ist auf 105% / 111% / 125% erhölt worden.

5. Er wird ein guter Arbeiter genannt.

Er wird ein gutes Kind genannt.

Er wird ein guter Schüler genannt.

III. 将下列主动句变为被动句！

1. Er ist gefragt worden.

2. Es wurde hier Deutsch gelernt.

3. Von dieser Arbeit war mir erzählt worden.

4. Die Aufgabe soll bis morgen erfüllt werden.

5. Der Fehler muss erklärt werden.

6. Hier können Mäntel gekauft werden.

7. Das Haus soll in drei Monaten gebaut werden.

8. Hier wird viel Kaffee getrunken.

9. Heute wird mit dem Text gearbeitet.

10. Hier darf nicht gesprochen werden.

11. Was kann hier gewaschen werden?

12. Der Text wurde von dem Lehrer noch einmal erklärt.

13. Die Produktion wurde durch die Maschine erhöht.

14. Das Kind ist von der Mutter gefragt worden.

15. Die neue Maschine war von dem Arbeiter benutzt worden.

16. Die Produktion muss von den Arbeitern erhöht werden.

17. Seine Aufgabe konnte von ihm nicht erfüllt worden.

IV. 练习非人称被动态！

1. Von 8 Uhr bis 17 Uhr wird hier gearbeitet.

2. Dem kranken Mädchen soll geholfen werden.

V. 用状态被动式回答！

1. Der Text ist von Herrn Li seit gestern übersetzt.

2. Sein Fehler ist verbessert.

3. Die Aufgabe ist erfüllt.

4. Ihr Stift ist gefunden.

5. Das Haus ist gebaut.

VI. （略）

VII. 翻译！

1. Heute wird der Text erklärt, und diese Wörter sollen gelesen werden.

2. Die Produktion ist durch die Maschine schnell erhöht worden.

3. Der Bahnhof ist in vier Monaten gebaut worden. Die Aufgabe ist gut erfüllt worden.

4. Der Text ist seit gestern verbessert.

5. Ist es viel von der Arbeit gesprochen worden?

6. Es soll ihm gut geholfen werden.

7. Das Kaufhaus ist seit letztem Jahr gebaut worden.

8. Übersetzt den Text bitte! Und das Wörterbuch darf benutzt werden.

Lektion 23

✱ Kleintext（短课文）译文：

今天晚上我的朋友到达北京。他将参加一个明天举行的会议。我去接他。我上了车，在靠窗的位置坐下。车开走了。我在火车站下车。我走进火车站。火车到了。我的朋友下车。我欢迎他。几分钟以后我们从火车站出来乘车返回。

✱ Kurzdialog（短对话）译文：

A：您去哪里？

B：我去火车站。我要去接我的朋友，他今天来北京。

A：去火车站？那很远。您要乘 8 路车，它直接到火车站。

B：打扰了。我对这里不熟悉。我应该在哪里上车？

A：一直往前走，然后在拐角处向右。哦！车已经来了。快跟来！请上车！5 站后请您下车。前方就是火车站。

B：非常感谢！

B：你好！你最近怎么样？

C：你好！我很好，你呢？

B：也很好。你乘了多长时间的车？

C：5 个小时。我今天早上很早就起床了。

B：现在可以走了吗？我的妻子已经等了很长时间了。

✱ 练习答案：

I. 将下列句子变位！

1. Ich mache die Tür auf.

   Du machst die Tür auf.

   Er/Sie/Es macht die Tür auf.

   Wir machen die Tür auf.

   Ihr macht die Tür auf.

   Sie/Sie machen die Tür auf.

2. Ich habe Herrn Li angerufen.

   Du hast Herrn Li angerufen.

   Er/Sie/Es hat Herrn Li angerufen.

   Wir haben Herrn Li angerufen.

Ihr habt Herrn Li angerufen.

Sie/Sie haben Herrn Li angerufen.

3. Ich bin in Beijing angekommen.

Du bist in Beijing angekommen.

Er/Sie/Es ist in Beijing angekommen.

Wir sind in Beijing angekommen.

Ihr seid in Beijing angekommen.

Sie/Sie sind in Beijing angekommen.

4. Ich muss ihn abholen.

Du musst ihn abholen.

Er/Sie/Es muss ihn abholen.

Wir müssen ihn abholen.

Ihr müsst ihn abholen.

Sie/Sie müssen ihn abholen.

5. Ich sage, dass ich um sechs Uhr aufstehe.

Du sagst, dass du um sechs Uhr aufstehst.

Er/Sie/Es sagt, dass er/sie/es um sechs Uhr aufsteht.

Wir sagen, dass wir um sechs Uhr aufstehen.

Ihr sagt, dass ihr um sechs Uhr aufsteht.

Sie/Sie sagen, dass sie/Sie um sechs Uhr aufstehen.

6. Ich antworte, dass ich heute um fünf Uhr aufgestanden bin.

Du antwortest, dass du heute um fünf Uhr aufgestanden bist.

Er/Sie/Es antwortet, dass er/sie/es heute um fünf Uhr aufgestanden ist.

Wir antworten, dass wir heute um fünf Uhr aufgestanden sind.

Ihr antwortet, dass ihr heute um fünf Uhr aufgestanden seid.

Sie/Sie antworten, dass sie/Sie heute um fünf Uhr aufgestanden sind.

II. 回答!

1. Ich rufe Sie am Montag an.

Ich rufe Sie zwischen 7 Uhr und 8 Uhr an.

Ich rufe Sie noch in dieser Woche an.

2. Herr Müller ist am Morgen angekommen.

Herr Müller ist am Samstag angekommen.

Herr Müller ist am Abend angekommen.

3. Herr Wang hat Herrn Müller abgeholt.

Der Ingenieur hat Herrn Müller abgeholt.

Herr Li hat Herrn Müller abgeholt.

4. Er ist vor der Fabrik eingestiegen.

Er ist am Haus 3 eingestiegen.

Er ist am Kaufhaus eingestiegen.

5. Er ist vor der Fabrik ausgestiegen.

Er ist am Haus 3 ausgestiegen.

Er ist am Kaufhaus ausgestiegen.

6. Er hatte die Tür aufgemacht.

Er hatte das Fenster aufgemacht.

7. Er hatte die Tür zugemacht.

Er hatte das Fenster zugemacht.

8. Der Ingenieur hat die Maschine eingeschaltet.

Der Techniker hat die Maschine eingeschaltet.

Der Arbeiter hat die Maschine eingeschaltet.

9. Der Ingenieur hat die Maschine ausgeschaltet.

Der Techniker hat die Maschine ausgeschaltet.

Der Arbeiter hat die Maschine ausgeschaltet.

III. 用括号内的词来代替划线的词！

1. Er ist *heute Morgen / heute Abend* abgefahren.

2. Er fährt *morgen Abend / jetzt* zurück.

3. Die Sitzung findet *am Samstag / morgen* statt.

4. Das Essen findet *im Haus 3 / in der Fabrik* statt.

5. *Der Ingenieur / Der Arbeiter* nimmt an der Sitzung teil.

IV. 填入适当的动词！

1. Heute Morgen habe ich Herrn Li angerufen.

2. Ich habe ihm gesagt, dass eine Sitzung stattgefunden hat.

3. Wir sollen an der Sitzung teilnehmen.

4. Um halb sieben habe ich ihn von zu Hause abgeholt.

5. Wir sind in einen Bus eingestiegen.

6. Am Tian'anmen-Platz sind wir ausgestiegen.

7. Wir sind vor sieben Uhr zurückgefahren / angekommen.

8. Um neun Uhr sind wir zurückgefahren / angekommen.

V. 德译汉！

1. 您去哪里？

2. 请您过来！

3. 我们跑到街上去。

4. 他从一个房间里出来。

5. 他带来了他的朋友。

6. 我把书带过去给你。

7. 我们从窗户看出去。

8. 他走进房间。

9. 直到天亮了他才入睡。

10. 她找出了她的书。

VI. 将下列句子改写成第一将来时和第二将来时!

1. Er wird seinem Schüler bei der Arbeit helfen.

   Er wird seinem Schüler bei der Arbeit geholfen haben.

2. Wirst du deine Aufgaben machen?

   Wirst du deine Aufgaben gemacht haben?

VII. （略）

VIII. 汉译德!

Gestern war Sonntag, der 25. Oktober. Um halb sieben stand ich auf und rufte meinen Freund an. Ich fragte ihn, ob er in die Stadt fuhr. Er sagte ja. Und dann holte ich ihn ab. Wir stiegen vor einem Kino in einen Bus ein, und stiegen vor einem Supermarkt aus. Der Supermarkt war sehr groß. Viele Leute kauften hier ein. Manche kauften Brot und Milch, manche kauften Mäntel und Jacken. Und manche kauften Uhren und Lampen. Ich kaufte einen Mantel und mein Freund kaufte eine Uhr. Danach gingen wir aus dem Supermarkt heraus und fuhren nach Hause.

Lektion 24

✳ Kleintext（短课文）译文：

自三月份以来，我和王先生在同一个班里学习德语。我们对德语很感兴趣。我们经常一起学习并且互相帮助。我们也帮助其他人。今天他想来看我，要和我用德语交谈。因此饭后我坐在窗前等他。我看见他已经来了。他站在门前。我听到他喊，就去开门。打开门后，我们互相问候，然后他走进我的屋子。现在我们坐下来并且用德语交谈。

✳ Kurzdialog（短对话）译文：

A：早上好！

B：早上好！这么早您就来了。

A：今天早上我起得很早，很快地洗漱完然后也穿得很暖和。我们想要去参观您的工厂。您的工厂在哪里？

B：工厂在北京，离这里有些远。

A：工厂很大吗？

B：工厂很大。总共有两万名工程师、技师和工人。

A：生产情况怎么样？

B：很好！工厂逐日在发展。产量也逐年在增加。现在我们关注的是提高质量。

A：您做这份工作开心吗？

B：从小我就对机械制造很感兴趣。因此我很开心我有这份工作。

A：现在我们能出发了吗？否则我们要迟到了。

✳ 练习答案：

I. 将下列句子变位！

1. Ich wasche mich.

   Du wäschst dich.

   Er/Sie/Es wäscht sich.

   Wir waschen uns.

   Ihr wascht euch.

   Sie/Sie waschen sich.

2. Ich interessiere mich für Deutsch.

   Du interessierst dich für Deutsch.

Er/Sie/Es interessiert sich für Deutsch.

Wir interessieren uns für Deutsch.

Ihr interessiert euch für Deutsch.

Sie/Sie interessieren sich für Deutsch.

3. Ich ziehe mich an.

Du ziehst dich an.

Er/Sie/Es zieht sich an.

Wir ziehen uns an.

Ihr zieht euch an.

Sie/Sie ziehen sich an.

4. Ich habe mir einen Mantel gekauft.

Du hast dir einen Mantel gekauft.

Er/Sie/Es hat sich einen Mantel gekauft.

Wir haben uns einen Mantel gekauft.

Ihr habt euch einen Mantel gekauft.

Sie/Sie haben sich einen Mantel gekauft.

5. Ich habe kein Geld bei mir.

Du hast kein Geld bei dir.

Er/Sie/Es hat kein Geld bei sich.

Wir haben kein Geld bei uns.

Ihr habt kein Geld bei euch.

Sie/Sie haben kein Geld bei sich.

II. 比较各句并用括号内的词代替划线的句子成分!

1. Er wäscht die Jacke. 他洗上衣。

Er wäscht seine Tochter. 他给女儿洗澡。

Er wäscht sich. 他洗脸。

Das Mädchen wäscht sich noch *vor dem Essen / jetzt.* 女孩饭前 / 现在还在洗脸。

2. Ich sitze auf dem Stuhl. 我坐在椅子上。

Ich setze das Kind auf den Stuhl. 我把孩子放在椅子上。

Setzen Sie sich! 您请坐!

Der Ingenieur / Der Lehrer setzt sich an den Tisch. 工程师 / 老师坐到桌子旁。

3. Er zieht den Mantel an. 他穿上大衣。

Er zieht den Mantel aus. 他脱下大衣。

Die Mutter zieht das Kind an. 妈妈给孩子穿衣。

Die Schülerin / Seine Tochter zieht sich an. 女学生 / 他的女儿自己穿衣。

Der Kleine / Der Kranke hat sich ausgezogen. 小孩 / 病人自己脱了衣服。

Das Kind / Die Tochter hat sich zu viel angezogen. 孩子 / 女儿穿了太多（衣服）。

4. Das freut mich sehr. 这让我很高兴。

Ich freue mich sehr. 我很高兴。

Sie freut sich über *den Mantel / das neue Zimmer.* 她为大衣/新房间而高兴。

5. Deutsch interessiert mich. 德语使我感兴趣。

Die Ingenieurin interessiert sich für Deutsch. 女工程师对德语感兴趣。

6. Die Fabrik beschäftigt über tausend Arbeiter. 这家工厂雇佣了上千名职工。

Er beschäftigt sich mit *diesem Buch / den Kindern.* 他忙于这本书 /（照顾）孩子们。

7. Darf ich Sie noch einmal bemühen? 我可以再麻烦您一下吗？

Er hat sich sehr um *den Unterricht / das Kind* bemüht. 他为了功课 / 孩子而非常努力。

III. 填入反身代词！

1. Das Kaufhaus befindet sich neben dem Bahnhof.

2. Er interessiert sich für das neue Buch.

3. Die Arbeiter beschäftigen sich mit dem Maschinenbau.

4. Ich kaufe mir einen neuen Mantel.

5. Hast du dich angezogen?

6. Ich habe mir zu viel angezogen.

7. Die Studenten helfen sich bei der Arbeit.

8. Hast du Geld bei dir?

9. Diese Fabrik hat sich schnell entwickelt.

10. Die Produktion hat sich schnell erhöht.

IV. 将 einander, nebeneinander, voneinander, nacheinander, miteinander, auseinander 填入句中！

1. Herr Li und Herr Luo lernen voneinander.

2. Die Studenten helfen einander.

3. Der Lehrer fragt die Studenten. Sie antworten nacheinander.

4. Nach der Sitzung sprachen die Ingenieure miteinander.

5. Nach dem Unterricht gehen die Studenten auseinander.

V. 填入括号内的动词！

1. Er ließ mich sprechen / kommen / rechnen.

2. Ich sehe ihn laufen / einsteigen / aussteigen / abfahren.
3. Er hört uns rufen / sprechen.
4. Die Kinder lernen rechnen / schreiben.
5. Wir gehen essen / arbeiten / schlafen.
6. Er hilft ihm übersetzen / lernen / rechnen.
7. Bleiben Sie sitzen / liegen / stehen.

VI. （略）

VII. 翻译！

1. Unsere Schule befindet sich hier. Seit einigen Jahren entwickelt sie sich sehr schnell. Jetzt beschäftigen sich über zwanzig Lehrer mit der Unterrichtsarbeit hier. Ich interessiere mich für ihre Arbeit.
2. Es ist kalt heute. Hast du dir den Mantel angezogen?
   Es ist warm im Haus, und ich habe mich ausgezogen. Jetzt will ich in die Stadt fahren. So muss ich mir den Mantel anziehen.
3. Er sieht mich lernen und geht mir helfen. Ich lerne gerade übersetzen.

Lektion 25

✱ Kleintext（短课文）译文：

李先生继续在德国努力学习，目前他在学习德语。他很努力，已经可以用德语和德国人交谈了。四月份时他认识了霍费尔先生。霍费尔先生是一名德国学生，他学习了一年的汉语。这两个人很乐意互相帮助。他们每周碰一次面。要么去看电影，要么去听音乐会要么去喝咖啡，他们总有很大的热情。他们用德语和汉语交谈。李先生是霍费尔先生的汉语老师，而霍费尔先生是李先生的德语老师。现在他们已经可以用德语和汉语很好地交谈了。

✱ Kurzdialog（短对话）译文：

A：您昨天在哪里？我到处找您，都没找到。

B：昨天我在城里。

A：您是步行去的还是驾车去的？

B：步行去的！难道我年龄太大了不能步行去吗？我步行去城里，去看王先生。

A：我听说，他很想来看您。

B：是的，我一直在等他，可他总是没有时间。他没有来看我，我就去他那里了。

A：他给您打过电话吗？

B：没有，他没有给我打电话，我就去他那里了。

A：他在家都干些什么？

B：他把课文翻译出来，以便他的朋友可以看懂。

A：他翻译得快吗？

B：非常快！他翻译课文时不用词典。

A：您什么时候回来的？

B：我在他那里喝了咖啡，吃了水果。10点回来的。

A：您有时间有兴趣翻译课文吗？

B：没有，我有些累了，马上要睡觉了，不想翻译课文了。

A：您一直都在用这些机器工作吗？

B：是的！

A：用这些机器工作容易吗？

B：用这些机器工作非常容易。但是想要提高产量，却也一直很困难。

A：我听说，所有人昨天一直工作到深夜，是这样吗？

B：是的，所有人都很努力完成工作。

A：王先生在傍晚时完成工作了吗？

B：没有，直到傍晚他都没有完成他的工作。可早上他又有新的工作了。

A：您有时间帮他吗？

B：是的，我有时间帮他。他也经常帮我。

＊ 练习答案：

I. 比较并翻译！

请您不用落下这本书！（命令句）

请您不要忘记，把这本书带给我！（带 zu 不定式）

他开始工作。（beginnen 做不及物动词用）

他开始进行他的工作。（beginnen 做及物动词用）

他开始工作。（带 zu 不定式）

她要求他工作。（bitten 做不及物动词用）

她要求他工作。（带 zu 不定式）

他需要一块表。（brauchen 做及物动词用）

他不需要去买表。（带 zu 不定式）

她尝试了所有的方法。（versuchen 做及物动词用）

她试图，学习所有的东西。（带 zu 不定式）

我可以相信您。（glauben 做及物动词用）

您信任他吗？（glauben 做不及物动词用）

您认为您可以翻译这篇课文吗？（带 zu 不定式）

II. 练习带 zu 不定式！

1. Herr Li beginnt zu übersetzen.

    Peter beginnt zu rechnen.

    Anna beginnt zu schreiben.

2. Er bat mich, mit ihm Kaffee zu trinken.

    Er bat mich, von meinem Erfolg zu erzählen.

    Er bat mich, sie bald zu besuchen.

Er bat mich, Platz zu nehmen.

3. Vergessen Sie nicht, an Ihre Mutter zu schreiben.

Vergessen Sie nicht, das Wort noch einmal zu erklären.

Vergessen Sie nicht, ihm das Buch zu bringen.

4. Glauben Sie die Produktion erhöhen zu können?

Glauben Sie an der Sitzung teilnehmen zu können?

Glauben Sie um elf Uhr abfahren zu können?

5. Er braucht nicht in die Stadt zu fahren.

Er braucht sich nicht um diese Arbeit zu bemühen.

Er braucht die Maschine nicht einzuschalten.

Er braucht seinen Freund nicht abzuholen.

6. Er versucht, die Maschine auszuschalten.

Er versucht, sich anzuziehen.

Er versucht, die Tür aufzumachen.

III. 回答！

1. Haben Sie Zeit, den Lehrer zu besuchen?

Haben Sie Zeit, an der Sitzung teilzunehmen?

Haben Sie Zeit, mich anzurufen?

2. Haben Sie Lust, ins Kino zu gehen?

Haben Sie Lust, in die Stadt zu fahren?

Haben Sie Lust, Kaffee zu trinken?

3. Haben Sie die Aufgabe bekommen, den Text zu übersetzen?

Haben Sie die Aufgabe bekommen, einen Bahnhof zu bauen?

Haben Sie die Aufgabe bekommen, die Qualität zu verbessern?

Haben Sie die Aufgabe bekommen, die Produktion zu erhöhen?

IV. 填入下列词组！

1. Sind Sie einverstanden, mit dieser Maschine zu arbeiten?

2. Ich bin bereit, mit dem Zug zu fahren.

3. Es ist leicht, das Wort zu erklären.

4. Es ist schwer, von seinem Erfolg zu erzählen.

5. Es gelang mir, die Jacke zu waschen.

V. 把 um ... zu 填入句中并翻译！

1. Ich gehe ins Kaufhaus, um mir eine Jacke zu kaufen.

我去商店，为了给自己买件夹克。

2. Er fährt mit dem Zug nach Shanghai, um seinen Vater zu besuchen.

他乘火车去上海看他父亲。

3. Der Ingenieur geht ins Zimmer, um an der Sitzung teilzunehmen.
工程师走进房间参加会议。

4. Er holt Wasser, um sich zu waschen.
他取些水要洗漱。

5. Das Kind geht um acht Uhr ins Bett, um morgen um 6 Uhr aufzustehen.
为了明天 6 点钟起床，这个孩子 8 点钟就上床睡觉。

6. Er bleibt in der Fabrik, um ihnen bei der Arbeit zu helfen.
他留在工厂，帮他们工作。

7. Der Tisch ist zu schwer, um ihn zu tragen.
这个桌子太重了，搬不动。

8. Es ist zu spät, um Brot zu kaufen.
太晚了，买不到面包了。

9. Das Kind ist zu klein, um die Jacke zu waschen.
这个孩子太小了，不能洗夹克。

VI. 用 statt ... zu 或 ohne ... zu 把两个句子连结起来!

1. Sie übersetzen das Buch, ohne Wörterbuch zu benutzen.

2. Sie bleibt in Beijing, statt nach Shanghai zu fahren.

3. Er geht ins Kaufhaus, ohne Geld bei sich zu haben.

4. Wir fahren mit dem Bus, statt mit dem Zug zu fahren.

VII. 用 um ... zu 或 damit, statt ... zu 或 statt dass, ohne ... zu 或 ohne dass 连结并翻译句子!

1. Die Tochter fährt in die Stadt, um einen Füller zu kaufen.
女儿进城买笔。

2. Wir gehen ins Kino, statt zu Hause zu bleiben.
我们没有在家，而是去看电影了。

3. Wir rufen ihn an, statt dass er zu uns kommt.
我们打电话给他，而不是他来我们这儿。

4. Er besucht uns, ohne dass wir ihn angerufen haben.
我们没有给他打电话，他就来了。

5. Er machte die Tür zu, ohne die Lampen ausgeschaltet zu haben.
他没有关灯就把门关了。

6. Das Kind ging ins Kino, ohne dass es die Mutter wusste.
母亲不知道孩子去看电影了。

VIII. （略）

IX. 填入介词 gegen 并翻译句子！

1. Alle sind gegen mich. 所有人都反对我（的意见）。
2. Er ist gegen 3 Uhr aufgestanden. 他将近 3 点起的床。
3. Was bin ich gegen ihn? 与他相比我算得了什么呢？

X. 翻译！

Herr Schneider ist Student an der Universität Heidelberg. Er studiert Sinologie. Vor halbem Jahr kam er nach China, um weiterzustudieren. Er hat an der Uni Li Ming kennen gelernt. Li Ming lernt Deutsch. Die beiden sind gern bereit, einander zu helfen und Freunde zu werden. Es gelingt ihnen, sich jede Woche zweimal zu treffen und Dialoge zu üben. Das erste Mal ist am Mittwochabend, und das andere ist am Wochenende. Sie sprechen zuerst Chinesisch und dann Deutsch. Herr Schneider ist Li Mings Deutschlehrer und Li Ming ist Herrn Schneiders Chinesischlehrer. Am Wochenende gehen sie entweder ins Kino oder ins Konzert, oder sie gehen in ein Kaffeehaus, um kaffee zu trinken und sich zu unterhalten. Heute können die beiden schon gut Deutsch und Chinesisch sprechen und sind zufrieden miteinander.

Lektion 26

✳ Kleintext（短课文）译文

天气越来越冷了。我想买件大衣，星期四我去了一家离我们学校不远的超市。售货员向我打招呼。我找了一件蓝色的大衣，但是太短了。售货员拿了一件长一点的给我。这件大衣虽然很适合我，但是颜色太亮了。我需要一件深色的。售货员很快地帮我拿了件深色的，我很喜欢。我买了后就去收银台付款了。大衣 500 元，不贵也不便宜。

✳ Kurzdialog（短对话）译文

A：学习怎么样？

B：很好！

A：我知道，你学得好。但是我听说，李明学得比你好。在你们班上谁学得最好？

B：王平学得最好。他也是我们班上最努力的。

A：张利学得怎么样？

B：张利？你指的是那个高个儿吗？

A：他高吗？我觉得他比你矮。

B：哦不！他比我高。他是（学得）最好的一个。那儿的那个姑娘也是（学得）最好的一个。赵刚也是（学得）最好的一个。

A：赵刚学德语的时间比你长很多。我觉得，你们所有的人都比我学得好。

✳ 练习答案

I. 练习 haben+zu, sein+zu, scheinen+zu 和 sich lassen！

1. 变位！

1) Ich habe heute viel zu erzählen.

Du hast heute viel zu erzählen.

Er/Sie/Es hat heute viel zu erzählen.

Wir haben heute viel zu erzählen.

Ihr habt heute viel zu erzählen.

Sie/Sie haben heute viel zu erzählen.

2) Ich habe hier zu arbeiten.

Du hast hier zu arbeiten.

Er/Sie/Es hat hier zu arbeiten.

Wir haben hier zu arbeiten.

Ihr habt hier zu arbeiten.

Sie/Sie haben hier zu arbeiten.

3) Ich bin gut zu verstehen.

Du bist gut zu verstehen.

Er/Sie/Es ist gut zu verstehen.

Wir sind gut zu verstehen.

Ihr seid gut zu verstehen.

Sie/Sie sind gut zu verstehen.

2. 用情态助动词代替 haben+zu 和 sein+zu！

Er konnte viel erzählen.

Er darf jetzt keinen Kaffee trinken.

Er soll heute diese Aufgabe erfüllen.

Diese Aufgabe soll heute erfüllt werden.

Der Text muss schnell übersetzt werden.

Nach kurzer Zeit kann das Buch abgeholt werden.

Die Bücher dürfen nicht nach Hause genommen werden.

3. 用 haben+zu 或 sein+zu 代替情态助动词！

Er ist gut zu verstehen.

Haben Sie die Arbeit zu verbessern?

Ich habe noch viel zu arbeiten.

Die Fabrik hat die Qualität zu verbessern.

Er hat schnell in die Fabrik zu gehen.

Das Brot ist zu essen.

Der Kaffee ist zu trinken.

4. 填入列出的词！

1) Es scheint heute zu regnen.

Es scheint heute kalt zu sein.

Es scheint heute heiß zu sein.

Es scheint heute warm zu sein.

Es scheint heute kühl zu sein.

2) Er scheint vom Lehrer zu kommen.

Er scheint in die Stadt zu fahren.

Er scheint sich für Deutsch zu interessieren.

3) Er scheint seine Aufgabe erfüllt zu haben.

Er scheint seine Uhr gefunden zu haben.

4) Das Buch scheint übersetzt worden zu sein.

Die Wörter scheinen übersetzt worden zu sein.

5. 将 sich lassen 填入句中！

Die Produktion lassen sich erhöhen.

Die Bücher lassen sich übersetzen.

Die Aufgaben lassen sich erfüllen.

Die Maschinen lassen sich einschalten.

Die Fehler lassen sich verbessern.

II. 说出下列形容词、副词的比较级和最高级！

alt – älter – der älteste

jung – jünger – der jüngeste

warm – wärmer – der wärmste

kalt – kälter – der kälteste

heiß – heißer – der heißeste

kühl – kühler – der kühlste

lang – länger – der längste

kurz – kürzer – der kürzeste

groß – größer – der größte

klein – kleiner – der kleinste

hell – heller – der hellste

dunkel – dunkler – der dunkelste

leicht – leichter – der leichteste

schwer – schwerer – der schwerste

gut – besser – der beste

bald – eher – der eheste

oft – öfter – der öfteste

viel – mehr – der meiste

III. 填入形容词！

1. Das Zimmer ist groß, jenes Zimmer ist größer, das Zimmer 101 ist am größesten.

2. Am Sonnabend war es heiß, gestern war es heißer, heute ist es am heißesten.

3. Er ist einer der fleißigen Studenten, sie ist eine der fleißigeren Studentinnen, Frau Li ist eines der fleißigsten Mädchen.

IV. 在句中填入 als 或 wie！

1. Er läuft ebenso schnell wie du.
2. Diese Straße ist länger als jene.
3. Heute ist es wärmer als gestern.
4. Er liest mehr als ich.
5. Er wird eher kommen als du.
6. Er spricht Deutsch besser als ich.
7. Dieses Zimmer ist dunkler als jenes.
8. Ich habe mich wärmer angezogen als du.
9. Der hellblaue Mantel ist billiger als der dunkelblaue.

V. 填入指示代词！

1. Solch eine Uhr gefällt mir.
2. Diese Stifte sind billiger als jene.
3. Dies ist mein Tee.
4. Jene Straße ist kürzer als diese.
5. Ich möchte auch einen solchen Mantel kaufen.
6. Wang Ping kommt aus Shanghai, Li Ming kommt aus Beijing, dieser arbeitet in einer Fabrik, jener studiert in einer Hochschule.
7. Es freut mich, mit diesen Ingenieuren zu arbeiten.
8. All dies freut uns sehr.

VI. 在句中填入 einer, eine, eines！

1. Sehen Sie dort den blauen Mantel! So einen habe ich auch.
2. Ich habe schöne Hefte. Brauchen Sie eins?
3. Möchten Sie eine neue Uhr? Ich kaufe auch eine.
4. Haben Sie auch solch ein Wörterbuch? Ja, ich habe eins.
5. Die meisten Arbeiter waren zufrieden. Nur einer von ihnen konnte nicht verstehen.
6. Es waren alle Ingenieure. Einer von ihnen kam aus Shanghai.
7. Dieses Kino ist eins der schönsten Kinos in Beijing.
8. Sie ist eine der größten Hochschulen Beijings.
9. Er ist einer der größten Bahnhöfe Beijings.
10. Sie ist eine der längsten Straßen dieser Stadt.

VII. 回答！

1. Wie ist die Jacke?

   Die Jacke ist rot. Sie passt mir zwar gut, aber ist etwas zu hell. Ich brauche eine dunklere. Die Schwarze gefällt mir sehr gut.

2. Wie ist die Tafel?

   Die Tafel ist weiß. Sie passt mir nicht. Ich brauche eine schwarze.

3. Wie ist der Bus?

   Der Bus ist blau. Er ist zu lang. Ich brauche einen kürzeren.

4. Wer ist größer? Wer ist am größten?

   Herr Li ist groß. Herr Ma ist größer. Herr Professor Höfer ist am größten.

5. Was fährt schneller? Was fährt am schnellsten?

   Der Bus fährt schnell. Das Auto fährt schneller. Die Straßenbahn fährt am schnellsten.

VIII. （略）

IX. 翻译！

1. Herr Li sagt zu mir: „Ich habe dir viel zu sagen. Wir haben eine neue Aufgabe bekommen, und diese scheint nicht leicht erfüllt zu werden: Die Maschinen sind zu kaufen, die Häuser sind zu bauen, die Produktion ist zu erhöhen und die Qualität ist zu verbessern. Aber ich glaube, dass diese Aufgabe sich gut erfüllt werden kann."

2. Zwar ist er jünger als ich, aber er lernt besser als ich, denn er ist fleißiger als ich. Li Ming lernt am besten und ist am fleißigsten in unserer Klasse.

3. Es ist wärmer in Frühling als in Winter, heißer in Sommer als in Frühling, kühler in Herbst als in Sommer und kälter in Winter als in Herbst. Winter ist die kälteste Jahreszeit, und Sommer ist die heißeste.

Lektion 27

✳ 课文译文：

一封信

亲爱的祖父、祖母：

在假期，我用你们的旅费资助去旅行了。因此我将旅行见闻先寄给了你们。

是这样的——我乘坐的火车很早就离开了慕尼黑。必须要说的是，到维尔茨堡的整个旅途我都在餐车吃饭。我觉得坐在餐车里高速穿过居民区简直棒极了。我吃着丰富的早点，让自己像侯爵一样，听任服务。并且和坐在我旁边的友善的女士闲聊，时间过得很快，我（又在餐车里）吃了午饭。拜托，请你们不要问我花了多少钱！

当然，我没有忘记看窗外不断变化着的风景。法兰克土地上秀丽的山川让我特别兴奋。按照计划我到了维尔茨堡的车站。在那我与中学同学维奥拉碰面，她在维尔茨堡上大学。

穿过美丽如画的城市街道和无与伦比的巴洛克建筑群，我很高兴地游览了城市，最后我们喝了一瓶红酒。稍晚一些我乘火车去美因茨，这段路途我睡着了。

第二天早上我从美因茨乘坐漂亮的 "德国" 号莱茵河游船到达科隆。这段旅途你们也曾多次经过吧，一定知道从葡萄种植园之间坐船顺流而下的感觉有多棒！当我们从古老的洛勒莱岩石旁经过时，船上的扩音器传来了《我不知是为何》的旋律。其中一位乘客跟着哼唱起来。对我而言最妙的就是看到了彼得斯贝格与河对岸的巴特戈德斯贝格。当我们经过波恩时，夜晚的灯光已经倒映在河中了。

令人敬畏的科隆大教堂依然耸立在古老的广场附近。莱茵地区的居民们唱着 "他应该在别处干什么？"。浮码头有轻松愉快的欢迎情景。我很高兴，我的婶婶路易斯在等我。我住在她漂亮的房子里，并且和她逛 "神圣科隆" 街。

10 天以后我回家，到时候再给你们讲更多的旅途见闻。

来自尼科尔的问候

✳ 练习答案

I. 说出下列形容词和副词的比较级和最高级！

alt – älter – der älteste

dunkel – dunkler – der dunkleste

kurz – kürzer – der kürzeste

lang – länger – der längste

bald – eher – der eheste

viel – mehr – der meiste

oft – öfter – der öfteste

heiß – heißer – der heißeste

warm – wärmer – der wärmste

kalt – kälter – der kälteste

groß – größer – der größte

gut – besser – der beste

teuer – teurer – der teuerste

billig – billiger – der billigste

jung – jünger – der jüngste

hell – heller – der hellste

II. 将下列句子改成被动态！

1. Ich wurde gefragt.

2. Es wird heute nicht gearbeitet.

3. Ihm soll geholfen werden.

4. Die Fabrik ist von den Arbeitern in einem Jahr gebaut worden.

5. Er bittet mich, dass sein Fehler verbessert wird.

6. Das Buch wurde von der Mutter der Tochter gegeben.

7. Die Produktion wurde durch die Maschine erhöht.

8. Von wem ist er angerufen worden?

9. Wird der Text übersetzt werden?

10. Ist ihm gedankt worden?

11. Er wird ein guter Arbeiter genannt.

III. 填入列出的不定式！

1. Der Student versucht, den Text zu übersetzen.

2. Ich habe keine Zeit, Brot zu kaufen.

3. Er lernt Deutsch sprechen.

4. Er hört mich rufen.

5. Er ist damit einverstanden, mir zu helfen.

6. Der Ingenieur ist bereit, an der Sitzung teilzunehmen.

7. Sie brauchen nicht das Fenster zumachen.

8. Die Mutter geht das Essen holen.

9. Es gelang mir nicht, die Tür aufzumachen.

10. Es scheint heute zu regnen.

IV. 用 um ... zu 回答！

1. Ich gehe in die Stadt, um meinen Lehrer zu besuchen.

2. Ich gehe zu Herrn Li, um ihm zu helfen.

3. Er bleibt zu Hause, um die Hausaufgaben zu machen.

4. Er holt Wasser, um sich zu waschen.

5. Sie gehen ins Kaffeehaus, um Kaffee zu trinken.

6. Sie geht zur Kasse, um zu zahlen.

7. Sie treffen sich, um Deutsch zu sprechen.

8. Er geht zum Hauptbahnhof, um seinen Vater abzuholen.

9. Er geht schnell los, um sich nicht zu verspäten.

10. Er fährt nach Shanghai, um sich mit einer neuen Arbeit zu beschäftigen.

V. 填入可分动词！

1. Der deutsche Ingenieur ruft seinen Freund an.

2. Er macht die Tür auf.

3. Sie tritt in mein Haus ein.

4. Er kauft am Wochenende ein.

5. Kommen Sie schnell mit!

6. Sie sind gestern in Guangdong angekommen.

7. Wir alle sind in die U-Bahn eingestiegen.

8. Er geht aus, ohne die Tür zuzumachen.

9. Um sieben Uhr fährt er ab.

10. Er geht zum Bahnhof, um seinen Freund abzuholen.

11. Das Kind hat den Mantel auszuziehen.

12. Vergessen Sie nicht, die Maschine auszuschalten!

13. Wann hat das Essen stattgefunden?

14. Ich soll an der Sitzung teilnehmen.

15. Wissen Sie, dass er täglich um 6 Uhr aufsteht?

16. Er fragte mich, wann ich zurückgefahren bin.

VI. 将反身代词填入句中！

1. Hast du Geld bei dir?

2. Das Kind hat sich schnell gewaschen.

3. Habe ich mir nicht zu wenig angezogen?

4. Ich gehe ins Kaufhaus, um mir eine Jacke zu kaufen.

5. Wo befindet sich das Kino?

6. Interessiert ihr euch für dieses Buch?

7. Wir beschäftigen uns mit dem Maschinenbau.

VII. 用 um ... zu 或 damit, statt ... zu 或 statt dass, ohne ... zu 或 ohne dass 来连接成对列出的句子!

1. Wir arbeiten auch am Abend, damit die Aufgaben schnell erfüllt werden können.

2. Ich übersetze den Text, ohne dass er mir hilft.

3. Er geht ins Kino, ohne seine Hausaufgaben gemacht zu haben.

4. Ich bleibe zu Hause, statt ins Kino zu gehen.

5. Ich gehe zu ihm, statt dass er mich von zu Hause abholt.

6. Wir arbeiten immer fleißiger, um schnell an eine neue Aufgabe zu gehen.

VIII. 翻译!

Heute ist Samstag. Herr Müller besucht seinen chinesischen Freund Wang Ping. Das ist zum ersten mal, dass Herr Müller eine chinesische Familie besucht. Er kommt mit dem Taxi. Wang Ping sieht ihn zum Fenster hinaus und geht die Tür öffnen. Wang Ping begrüßt ihn. Herr Müller tritt ins Haus ein und setzt sich. Und dann stellt Wang Ping sich seine Frau vor. Wang Pings Frau fragt ihn, was gern zu trinken. Er sagt, dass er in Deutschland Kaffee und in China Tee trinkt. Statt roten Tee trinkt er nur grünen Tee. Sie alle trinken grünen Tee und sprechen über China und Deutschland, Familie und Arbeit, Deutsch und Chinesisch. Um 7 Uhr setzen sie sich an den Tisch. Es gibt vieles Gutes wie Fisch, Fleisch, Gemüse, Eier, Hühnersuppe, auch Bier und Wein. Herr Müller isst und sagt: „Es schmeckt mir gut. Ich mag immer mehr die chinesischen Gerichte essen. "

Lektion 28

✳ Kleintext（短课文）译文

李先生上了一辆公共汽车，他去火车站接他在唐山工作的工程师兼好朋友王平。他对面坐着一个年轻的大学生，在看德语报纸。

公共汽车行驶在新修好的街道上。在火车站前他下车了。他走进火车站。从北京到哈尔滨的火车到站了。他看到了他的朋友坐在窗户旁边。王平和几个年长的工程师走下火车。他们都来自已被破坏的城市唐山。他们走出了火车站。

从唐山回来，王平带上李明去看望他们的老师。他兴奋地向我们讲述唐山人民的成就。"最初几个月非常困难，但是人们都在坚持。他们建设新唐山并逐渐提高产量。他们取得了在我们看来不可能取得的成就。"

✳ Kurzdialog（短对话）译文

A：您叫什么名字？

B：我的名字是汉斯·霍费尔。

A：您在北京工作还是学习？

B：我在北京工作，是一名教师。

A：您是第一次来中国吗？

B：是的，我很喜欢中国。

A：您去过其他城市吗？

B：我旅行过很多次了。一月份我在广东，八月份我和朋友王平在上海，他曾在德国学机械制造。

A：您喜欢上海吗？

B：非常喜欢！上海是中国最大的城市。它的变化非常快。当我们到达上海时，在火车站我听到有人叫我。我竟然看到了我的好朋友赫尔穆特，克莱门斯和海因里希。他们过来接我。

A：您（们）在上海是怎样安排的？

B：我们参加了一个持续 5 天的会议。昨天就已经结束了，我们马上要返回北京。

✳ 练习答案

I. 变格！

第一格	der angekommene Freund	der abfahrende Zug	das geöffnete Fenster	die zerstörte Stadt
第二格	des angekommenen Freund(e)s	des abfahrenden Zugs	des geöffneten Fensters	der zerstörten Stadt

第三格	dem angekommenen Freund	dem abfahrenden Zug	dem geöffneten Fenster	der zerstörten Stadt
第四格	den angekommenen Freund	den abfahrenden Zug	das geöffnete Fenster	die zerstörte Stadt

II. 用现在分词做状语!

1. Er steht wartend vor dem Kino.
2. Die Kinder gehen rufend auf der Straße.
3. Sie arbeiten singend.

III. 填入过去分词!

1. Wie arbeitet die eingeschalte Maschine?
2. Das neu gebaute Kino ist eines der größten in dieser Stadt.
3. Ist die begonnene Arbeit schwer?
4. Stellen Sie sich nicht an das geöffnete Fenster.
5. Die erfüllte Aufgabe ist nicht leicht.
6. Er liest den übersetzten Text.
7. Der abgeholte Freund geht aus dem Bahnhof heraus.
8. Begeistert sprach er von seiner Aufgabe.
9. Er erzählte uns von der zerstörten Stadt.

IV. 在句中填入扩展定语并翻译!

1. An der um acht Uhr stattfindenden Sitzung nehmen alle Lehrer teil.
2. Das vor einem Monat gebaute Kino ist sehr schön.
3. Er bringt uns die vom Lehrer verbesserten Hefte.
4. Jetzt spricht der sich seit 10 Jahren mit dieser Arbeit beschäftigende Ingenieur.
5. Er fragt den am Fenster sitzenden Herrn.
6. In der Deutschstunde übersetzen die Studenten den von ihnen zu Hause gelesenen Text.

V. 用主句中的分词和列出的词汇造分词词组!

1. Er stand vor dem Bahnhof, mit dem Freund sprechend.
2. Er kam an die Tür, nach Herrn Li rufend.
3. Er steht vor dem Kino, auf seinen Lehrer wartend.

VI. 将从句变为分词词组并翻译!

1. Zurückgekommen aus China, lebte er in Deutschland.
   从中国回来后，他就在德国生活。

84

2. Er ging im Zimmer hin und her, nach seiner Uhr suchend.

他在房间里走来走去，找他的表。

3. Angekommen in Beijing, besichtigten wir den Tian´anmen-Platz.

到达北京后，我们去参观天安门广场。

4. Der Ingenieur, begrüßt von allen, dankte den Arbeitern.

受到所有人欢迎的工程师感谢工人们。

VII. 补充下列问题并回答！

1. Was machen Sie im August?

Im August möchte ich nach Deutschland.

2. Was macht Herr Li am Montag?

Herr Li nimmt an einer Sitzung teil, die 5 Tage dauert.

VIII.（略）！

IX. 翻译！

Herr Müller ist ein deutscher Ingenieur, in Berlin arbeitend. Im letzten Oktober ist er in China angekommen und hat in einer großen Fabrik in Beijing als Berater gearbeitet. Sie arbeitet mit Leib und Seele, oft anderem helfend. Dank seiner Hilfe ist die Produktion von Januar bis November um 12% erhöht worden. Die Aufgabe ist gut erfüllt worden. Alle waren begeistert von ihren Erfolgen. In diesem Mai nahm er in Shanghai an einer Tagung teil, die 4 Tage dauerte, von Montag bis Donnerstag. Viele deutsche Ingenieure und Professoren nahmen an der Tagung teil. Herr Müller erzählte von seiner Arbeit und dem Erfolg der Fabrik.

X. 翻译！

1. 八点开始的会议持续了 3 个小时。
2. 从遭受破坏的城市回来，他讲述了那座城市人们的生活。
3. 一年前建成的电影院很漂亮。
4. 由于使用了新机器，工人们很快提高了产量。
5. 他坐在桌子旁边翻译课文。

Lektion 29

✳ Kleintext（短课文）译文

李明生病了，躺在床上，他感到很不舒服。他感冒很严重。昨天他发高烧，头疼、胳膊疼、腿疼。所以他去看医生。医生给他检查，然后告诉他："您患了严重的感冒，应该卧床一星期，不能外出。我给您开一些药，在家服用，然后好好休息。"李明谢过医生就回家了。医生希望他"早日康复！"

✳ Kurzdialog（短对话）译文

A：你昨天也去参观工厂了吗？

B：是的，我去过那。

A：（觉得）怎么样？

B：工厂很大，我很喜欢。一个在德国学习过的工程师带我看了工厂并详细地给我讲解。

A：他是用德语讲的吗？

B：是的，他德语讲得很好，我们都能听懂。

A：你觉得工厂怎么样？

B：工厂很新。

A：产量怎么样？

B：产量每年都在提高。总而言之，工厂比我想象中要发展得快。

✳ 练习答案

I. 在主从复合句中填入连接词 so dass！

1. Das Zimmer ist so dunkel, dass nichts gesehen wird.

2. Sie haben so große Erfolge erzielt, dass sie sich freuen.

3. Sie haben das Kaufhaus in 3 Monaten gebaut, so dass sie an eine neue Arbeit gehen.

4. Fahren Sie mit dem Bus, so dass Sie um acht Uhr dort sein können.

5. Heute ist es kalt, so dass man den Mantel anzieht.

II. 用给出两句构成带连接词 obwohl, trotzdem 和 auch wenn 的主从复合句！

1. Er ist krank, trotzdem geht er zur Arbeit.

2. Auch wenn sie mit alten Maschinen arbeiten, erfüllen sie ihre Aufgaben.

3. Er hatte viel zu tun, trotzdem half er mir.

4. Auch wenn sie sich bemühen, die Produktion zu erhöhen, gelingt es ihnen nicht, die Aufgaben zu erfüllen.

5. Obwohl er mich gebeten hatte, ihm einen Füller zu kaufen, kaufte er sich einen neuen.

6. Obwohl er einige Jahre in Deutschland war, kann er nicht gut Deutsch sprechen.

III. 回答！

1. Soviel ich weiß, habe ich meine Aufgaben erfüllt.

   Soviel ich weiß, hat man das Buch übersetzt.

   Soviel ich weiß, hat er viel zu tun.

   Soviel ich weiß, wohnt er weit von hier.

2. Soweit man sieht, interessiert er sich für Maschinenbau nicht.

   Soweit man sieht, wurde die Stadt nicht zerstört.

   Soweit man sieht, wird die Sitzung nicht drei Stunden dauern.

IV. 造比较从句！

1. Die Aufgaben waren nicht so leicht, wie er gedacht hatte.

   Das Zimmer war nicht so klein, wie er gesagt hatte.

   Die Straße war nicht so kurz, wie er geglaubt hatte.

2. Die Maschine ist besser, als ich geglaubt habe.

   Er ist jünger, als er geglaubt hat.

   Es ist heute kälter, als wir geglaubt haben.

3. Je mehr er übersetzte, desto besser konnte er den Text verstehen.

   Je billiger die Bücher sind, desto mehr kauft man sie.

V. 用 indem 连接两个句子！

1. Die Arbeiter erhöhen die Produktion, indem sie die Maschinen verbessern.

2. Er erzählt uns von der zerstörten Stadt, indem er uns die Bilder zeigt.

3. Sie erzielten große Erfolge, indem sie oft miteinander arbeiten.

VI. 用列出的词汇构成不带连接词的条件句！

1. Besuchen Sie Herrn Li, bringen Sie ihm das Buch.

2. Ist niemand zu Hause, kommen Sie schnell zurück.

3. Habe ich noch Geld, kaufe ich ihm ein Bild.

4. Hat er Zeit, kommt er zu uns.

5. Kommt er zu spät nach Hause, so braucht er nicht vor acht Uhr hier zu sein.

VII. 在句中填入连接词！

1. Er beginnt Deutsch zu lernen, <u>was</u> mich sehr interessiert.
2. Er wäscht seine Jacke, <u>wobei</u> er seinem Sohn antwortet.
3. Mein Freund hat seine Aufgaben mit großem Erfolg erfüllt, <u>was</u> mich sehr freut.
4. Er liest deutsche Zeitschriften, <u>wobei</u> ich ihm helfe.

VIII. （略）

IX. 翻译！

1. Obwohl zwei Arbeiter krank waren, erfüllten sie die Aufgaben.
2. Hast du Lust, ins Kino zu gehen, hole ich dich bei dir zu Hause ab.
3. Er ist schwer krank, so dass er nur im Bett bleibt.
4. Soviel ich weiß, spricht er gut Deutsch.
5. Je neuer die Maschine ist, desto schneller erhöht sich die Produktion.
6. Die Aufgabe ist schwerer, als ich gedacht habe. Ich bemühe mich, die zu erfüllen.
7. Er ist schnell guter Arbeiter geworden, indem er von alten Arbeitern lernte.
8. Er liegt im Bett, und zugleich korrigiert er die Hausaufgaben der Studenten.
9. Die Produktion erhöht sich um 15%, indem man die neue Maschine benutzt.
10. Es ist sehr kalt. Li Ming hat sich erkältet. Und er hatte hohes Fieber. Ihm schmerzten der Kopf, die Arme und die Beine. Er fühlte sich sehr schlecht. Gestern ging er zum Arzt. Der Arzt untersuchte ihn und verschrieb einige Arzneien. Li Ming ging nach Hause und nahm sie zu Hause ein. Er fühlte sich besser.

Lektion 30

✳ Kleintext（短课文）译文

1930 年我们几个贫穷的工人来到一座小城市。许多人的生活仅够糊口。一些人没有东西吃没有东西喝。我们知道这里也没有工作。我们简直是进退两难。可只有老李在继续找工作。昨天他去了几个已经有工作的人那。可他还是没有找到工作。今天他又去了其他人已经去过的地方，仍然没有找到工作。小王想要回家了。他说："我们回到我们来的地方去吧！"

✳ Kurzdialog（短对话）译文

A：你好！我想同李教授讲话！

B：我就是！

A：你好！李先生，我是王平。

B：很高兴认识您。

A：是关于我工作的事情。明天我要开始工作了。可我还有几个问题。我可以打扰您一会儿吗？

B：哦，王先生，不打扰。我喜欢跟您讲话。

A：您所有的学生都在同一个班级学习吗？

B：是的，他们在同一个班级学习。有 10 个女学生，12 个男学生。

A：如果您能告诉我他们的家庭作业，我将不胜感激。

B：好的！

A：我要给他们讲解家庭作业吗？

B：不，那些家庭作业已经做过了，不需要再讲解了。

A：在您看来目前该做些什么？

B：现在必须改进教学工作，提高教学质量。

A：您对教学工作一直都不满意吗？

B：不！

A：大家一直都在试图改进教学工作，这点我很高兴。如果我明天去您那，您方便吗？

B：那当然了！我很乐意请您吃个饭。

A：您真是太好了！那么再见！

B：再见！感谢您的来电！

✳ 练习答案

I. 对划线的句子成分提问！

1. Auf wen wartet er?
2. Wofür interessiert sich der Schüler?
3. Womit beschäftigt sich der Ingenieur?
4. An wen glaubt er?
5. Wonach sucht das Kind?
6. Womit ist der Lehrer zufrieden?
7. An wen denkt der Student?
8. Wobei hilft er ihm?
9. Worüber freuen wir uns?

II. 用代副词代替介词宾语！

1. Ich danke ihm dafür.
2. Er sucht danach.
3. Er ist damit zufrieden.
4. Er erzählt davon.
5. Ich weiß nichts davon.

III. 填入代副词！

1. Er hat von seinem Vater einen neuen Stift bekommen.
2. Freut er sich darüber?
3. Ich bin damit einverstanden, dass er an der Sitzung teilnimmt.
4. Ich habe nichts davon gehört, dass er bald nach Deutschland fährt.
5. Sie ist davon sehr begeistert, dass er seine Aufgabe mit großem Erfolg erfüllt hat.
6. Er hoffte darauf, in China zu studieren.
7. Ich glaube nicht daran, dass er zu uns kommen wird.
8. Ich bin dazu bereit, nach Shanghai zu fahren.
9. Er ist damit zufrieden, mit einem neuen Apparat zu arbeiten.
10. Er fragt mich danach, ob ich seine Uhr gesehen habe.
11. Ich danke ihm dafür, dass er meinen Apparat gut gepflegt hat.

IV. 用非人称 es 回答！

1. Es ist fünf vor halb neun.
   Es ist zehn nach elf.

2. Es hat mir in Beijing sehr gut gefallen.

Es hat mir in Deutschland sehr gut gefallen.

3. Man soll den Regenmantel anziehen, weil es regnet.

Man soll sich ausziehen, weil es heiß ist.

4. Es ist möglich, dass er mich heute anruft.

Es ist möglich, dass er seinen Glauben an mich verloren hat.

Es ist möglich, dass er mit dem Bus in die Stadt fährt.

Es ist möglich, dass der Kaffee fertig ist.

V. 填空！

1. Es gelang ihm, die Produktion zu erhöhen.

2. Es freut mich sehr, Sie zu sehen.

3. Es ist leicht, den Apparat zu pflegen.

4. Es ist schwer, mit diesem Wagen zu fahren.

5. Gut, dass er im Bett liegt.

6. Es interessiert mich, ob ich ins Kino gehe.

VI. 填入 derselbe 和 derjenige！

1. Er arbeitet in demselben Kaufhaus wie sein Vater.

2. Nur derjenige, der immer fleißig ist, kann gut lernen.

3. Er spricht von demjenigen Ingenieur, von dem er uns gestern gesprochen hat.

4. An der Sitzung nehmen nur diejenigen teil, welche bei der Arbeit Erfolg erzielt haben.

5. Er arbeitet seit 20 Jahren in ein und derselben Fabrik.

6. Von diesen Büchern interessieren mich nur diejenigen, die von Deutschland erzählen.

VII. 填充并翻译！

1. Es gilt, die Qualität zu erhöhen. 必须提高质量。

2. Es gilt, die Arbeit zu verbessern. 必须改善工作。

3. Es gilt, gleich mit der Arbeit zu beginnen. 必须马上开始工作。

4. Es gilt, ihn anzurufen. 必须给他打电话。

5. Es gilt, die Aufgabe zu erfüllen. 必须完成任务。

6. Es gilt, den Wagen zu pflegen. 必须保养汽车。

7. Es gilt, die Stadt aufs Neue aufzubauen. 必须重新建设城市。

8. Es gilt, von anderen zu lernen. 必须向别人学习。

9. Es gilt, neue Maschinen zu benutzen. 必须使用新机器。

10. Es gilt, an der Tagung teilzunehmen. 必须参加会议。

VIII. 填入从句并翻译!

1. Ich wäre Ihnen sehr dankbar, wenn Sie mir möglichst bald eine Antwort geben könnten.

   如您能尽快给我答复，我将不胜感激。

2. Ich wäre Ihnen sehr dankbar, wenn Sie mir bei der Arbeit helfen könnten.

   如您帮助我工作，我将不胜感激。

3. Ich wäre Ihnen sehr dankbar, wenn Sie mich einmal anrufen könnten.

   如您能给我打电话，我将不胜感激。

4. Ich wäre Ihnen sehr dankbar, wenn Sie einmal vorbeikommen könnten.

   如您能来一下，我将不胜感激。

5. Ich wäre Ihnen sehr dankbar, wenn Sie mir in der nächsten Woche schreiben könnten.

   如您下周能给我写信，我将不胜感激。

6. Ich wäre Ihnen sehr dankbar, wenn Sie meinen Wagen pflegen könnten.

   如您能保养我的汽车，我将不胜感激。

7. Ich wäre Ihnen sehr dankbar, wenn Sie meiner Tochter ein Buch kaufen könnten.

   如您能给我女儿买本书，我将不胜感激。

8. Ich wäre Ihnen sehr dankbar, wenn Sie meine Fehler verbessern könnten.

   如您改正我的错误，我将不胜感激。

9. Ich wäre Ihnen sehr dankbar, wenn Sie mich entschuldigen könnten.

   如您能原谅我，我将不胜感激。

10. Ich wäre Ihnen sehr dankbar, wenn Sie mir die Stadt zeigen könnten.

    如您能带我看这座城市，我将不胜感激。

IX. 填充!

1. Ich möchte Ihnen helfen.

   Das ist nett von Ihnen.

2. Ich möchte Ihnen die Universität zeigen.

   Das ist nett von Ihnen.

3. Ich möchte Ihren Fehler verbessern.

   Das ist nett von Ihnen.

4. Ich möchte Ihnen den Text erklären.

   Das ist nett von Ihnen.

5. Ich möchte Ihnen Deutsch unterrichten.

   Das ist nett von Ihnen.

X. （略）

Lektion 31

✳ Kleintext（短课文）译文

李明说他昨天去参观了一所大学。一名老教授给他们讲这所大学是如何发展的。它建于 1952 年，现有学生两万人。目前学校正在努力改进教学工作，提高教学质量。这位教授带他们看了一些新的东西。李明很激动地说他也想在大学学习。我希望帮助他学习。

✳ Kurzdialog（短对话）译文

A：能给我几分钟时间吗？我听说，您昨天参观了一所大学。我对此很感兴趣。您能给我讲讲吗？

B：好的。

A：您有向导吗？

B：一位教授向我们介绍了这所大学，并带领我们穿过整所学校。

A：我想知道，这所学校是什么时候建成的。

B：1952 年，建造工作是春天开始的。

A：我听说，那时只有 1000 名学生，是这样吗？

B：是的。

A：现在有多少人呢？

B：两万人。

A：学生们都住在校园里吗？

B：不是，不是所有的！很多住在校外。

A：有人说，这所学校在五十年代发展迅速。

B：正是这样！人们想到的都是它在五十年间所取得的成功。

A：这所学校里有多少系？

B：25 个系。

A：目前大家都在干什么？

B：大家现在正在做的是，改进教学工作，提高教学质量。大家都在努力成立几个新的系。想引进德语系。首先必须指出的是，提高教学质量。

A：有可能的话，我也要去（德语系）。

B：当然可以！

I. 将下列间接引语改成直接引语！

1. Er erklärt uns: „Diese Hausaufgabe ist leicht zu machen."
2. Er erzählte uns: „Dieses Kino ist sehr schnell gebaut worden."
3. Ich habe gehört: „Es gibt heute in der Zeitung viel Neues."
4. Ich frage ihn: „Hast du deinen Freund abgeholt?"
5. Ich frage ihn: „Kennst du meinen Freund?"
6. Er antwortete: „Ich habe mich gewaschen."
7. Ich denke: „Er hat jetzt hier nichts zu tun."
8. Er schrieb: „Ich werde nach Shanghai fahren."
9. Ich hoffe: „Er kommt morgen zurück."
10. Man sagt mir: „Er wird angerufen."
11. Er sagte: „Kaufen Sie mir einen stift! "

II. 将下列直接引语改成间接引语！

1. Er fragt, ob ich meinen Lehrer besucht habe.
2. Er fragt, ob ich seinen Vater kenne.
3. Sie fragte, was ich vergessen habe.
4. Er sagte, dass ich das Fenster zumachen solle.
5. Sie erklärte, dass sie Deutsch lernen werde.
6. Sie sagten, dass sie in einer Woche vier Stunden Deutsch haben.
7. Er bat mich, ich möge für ihn ein Heft kaufen.
8. Sein Sohn fragt, wann er in die Schule gehe.
9. Sie antwortete, dass sie seit gestern krank sei.
10. Er sagte mir, dass ich etwas früher kommen solle.
11. Er sagte, dass sie keine Zeit verlieren dürfen.
12. Sie antwortete, dass ihre Tochter die dritte Klasse besuche.
13. Sie sagten, dass sie die Qualität verbessern können.
14. Er erklärte, dass die Sitzung morgen stattfinden werde.
15. Sie sagen, dass er viel von dieser Maschine verstehe.

III. 用 es sei betont 做主句构成主从复合句并翻译！

1. Es sei betont, dass Sie die Qualität des Mantels verbessern müssen.
   值得强调的是，您必须提高大衣的质量。
2. Es sei betont, dass er seit einer Woche krank ist.
   值得强调的是，他病了一周。

3. Es sei betont, dass man an eine neue Arbeit gehen muss.
   值得强调的是，大家必须开始新的工作了。
4. Es sei betont, dass man die Produktion erhöhen kann.
   值得强调的是，大家能提高产量。

IV. 填入从句并翻译！

1. Es sei betont, dass die Aufgabe gut erfüllt worden ist.
   值得一提的是，任务已经完成了。
2. Es sei darauf hingewiesen, dass das Kino in 3 Monaten gebaut worden ist.
   需要指出的是，电影院在三个月内就建成了。
3. Es sei erwähnt, dass drei von den Arbeitern krank sind.
   应该提到的是，工人中有三个人生病了。
4. Es sei darauf hingewiesen, dass die Arbeiter mit neuen Maschinen gearbeitet haben.
   需要指出的是，工人们已经使用新机器工作了。
5. Es sei betont, dass man nicht zu viel Wasser nehmen soll.
   值得一提的是，不应拿太多的水。
6. Es sei erwähnt, dass niemand ihnen hilft.
   应该提到的是，没有人帮助他们。

V. 填充并翻译！

1. Alle außer ihm haben die Aufgaben verstanden.
   除他之外大家都理解了题目。
2. Alle außer mir haben die Aufgaben gerechnet.
   除我之外大家都在计算这道题。
3. Außer dir kannten alle das neue Buch über Maschinenbau.
   除你之外大家都熟悉了这本有关机械制造的书。
4. Außer Herrn Li kannten alle meinen Lehrer.
   除了李先生，大家都认识我的老师。
5. Außer dem kranken Mädchen kenne ich alle Kinder.
   除了这位生病的姑娘，我认识所有的孩子。

VI. （略）

VII. 翻译！

1. Er sagt mir, dass er seine Uhr verloren habe.
2. Er fragte mich, ob ich die Maschine gepflegt habe. Er sagte, dass sie die Aufgaben ohne die Maschinen nicht erfüllt haben.

3. Ich habe mir sagen lassen, dass sie die Produktion um 20% erhöht haben.

4. Glauben Sie, dass er die neue Maschine gut verstehe?

5. Es sei darauf hingewiesen, dass die Qualität der Uhr verbessern worden sei.

6. Es sei erwähnt, dass das Kino in diesem Monat gebaut werde.

7. Es sei betont, dass sie die Erfolge ohne Ingenieur erzielt haben.

8. Es lebe das Volk!

9. Der Professor stellte uns vor, die Universität sei 1941 gebaut worden und habe 20000 Studenten und 1500 Lehrer. Zur Zeit bemühe man sich, die Unterrichtsarbeit zu verbessern und die Unterrichtsqualität zu erhöhen.

10. Es sei darauf hingewiesen, dass wir diese Arbeit untersuchen müssen, ob was er sagte Recht hat oder nicht.

Lektion 32

* Kleintext（短课文）译文

我已经很久没有见到王平了。三个月以来我一直在写我的新书。如果我有时间的话，我早就去看他了。我有一些重要的事情跟他说。要是下个星期我有时间的话，无论如何我都要去看他。我听说，他已经对我有些不满了。这真的让我感到很遗憾。要是我现在就在他那该多好啊！

* Kurzdialog（短对话）译文

A：请坐！请您就像在家一样！

B：谢谢！您能告诉我，这幅漂亮的画是谁送给您的吗？

A：一位年长的工程师。这个姑娘是他的学生。很长时间以来，她和他生活在一起。他也很爱她，就好像她是他的女儿一样。

B：您能给我讲讲他的事情吗？他应该是一名著名的科学家。

A：很遗憾，我知道的也不多。您可以和他本人交流。他肯定能给您讲很多。我们差点儿没能完成工作。

B：究竟为什么呢？是因为工作太难了，大家完成不了吗？

A：不是的！工作不难。但是工程师生病了，他必须得卧床休息。可他继续工作，险些从车上摔下来。

B：这样啊！他现在已经恢复了吗？

A：他现在完全康复了。大家都很关心他。昨天我们去看他，并且和他聊了很久。

B：要是我当时在那就好了！也许我还能帮上忙。

A：请您明天再来我们这一次！和他本人交谈一下，他一定会很开心的。

B：说得对！

* 练习答案

I. 造条件式!

1. Wenn er Geld hätte, würde er sich einen Mantel kaufen.

2. Wenn er nicht krank wäre, würde er zur Arbeit gehen.

3. Wenn es nicht geregnet hätte, würde er ins Kaufhaus gegangen sein.

4. Wenn er in Beijing wäre, würde er an der Sitzung teilnehmen.

5. Wenn es heiß gewesen wäre, würde er den Tian´anmen-Platz nicht besichtigt haben.

II. 填入动词的虚拟式!

1. Wenn ich Geld bei mir <u>hätte</u>, <u>könnte</u> ich mir eine neue Jacke kaufen.
2. Wenn wir schnell <u>gingen</u>, <u>könnten</u> wir vor acht Uhr dort sein.
3. Wenn er heute nicht krank <u>wäre</u>, <u>führe</u> er nach Shanghai.
4. Wenn ich mehr Zeit <u>hätte</u>, <u>spräche</u> ich noch mit ihm.
5. Wenn es nicht so spät <u>wäre</u>, <u>rüfte</u> ich ihn noch einmal <u>an</u>.

III. 仿照例句造句!

1. Wenn sein Vater doch nicht krank wäre!
   Wäre sein Vater doch nicht krank!
2. Wenn er einen Erfolg doch erzielt hätte!
   Hätte er einen Erfolg doch erzielt!
3. Wenn sie in Beijing doch gewesen wäre!
   Wäre sie in Beijing doch gewesen!
4. Wenn er seinen Fehler doch verbessert hätte!
   Hätte er seinen Fehler doch verbessert!

IV. 在客气的提问和请求中使用虚拟式并翻译!

1. Könnten Sie mir noch einmal helfen?
   您能再帮我一次吗?
2. Würden Sie bitte mir die Bilder zeigen?
   您能给我看这些画吗?
3. Könnten Sie mir sagen, wo er sein Heft gelassen hat?
   您能告诉我,他把作业本放到哪里了吗?
4. Würden Sie bitte mir die neueste deutsche Zeitung bringen?
   您能把最新的德语报纸拿给我吗?
5. Könnten Sie für mich ein Heft kaufen?
   您能为我买个作业本吗?

V. 用下列句子造 als wenn, als ob, als 带起的比较从句!

1. Es scheint, als ob sie die Maschine nocht nicht gepflegt hätte.
   Es scheint, als wenn sie die Maschine nocht nicht gepflegt hätte.
   Es scheint, als hätte sie die Maschine nocht nicht gepflegt.
2. Es scheint, als ob der Ingenieur nicht in der Fabrik wäre.
   Es scheint, als wenn der Ingenieur nicht in der Fabrik wäre.
   Es scheint, als wäre der Ingenieur nicht in der Fabrik.

3. Es scheint, als ob es bald Regen gäbe.

Es scheint, als wenn es bald Regen gäbe.

Es scheint, als gäbe es bald Regen.

4. Es scheint, als ob sie seit Jahren in Deutschland wäre.

Es scheint, als wenn sie seit Jahren in Deutschland wäre.

Es scheint, als wäre sie seit Jahren in Deutschland.

5. Es scheint, als ob er alles vergessen hätte.

Es scheint, als wenn er alles vergessen hätte.

Es scheint, als hätte er alles vergessen.

6. Es scheint, als ob sie alles wüsste.

Es scheint, als wenn sie alles wüsste.

Es scheint, als wüsste sie alles.

VI. 补全下列句子!

1. Es scheint, als ob <u>er nichts wüsste</u>.

2. Er tat so, als <u>verstände er viel von der Arbeit</u>.

3. Er übersetzt den Text, als <u>hätte er schon einmal übersetzt</u>.

4. Er spricht so gut Deutsch, als <u>wäre/sei er ein Deutscher</u>.

5. Mir scheint, als ob <u>er schnell übersetzen könnte</u>.

VII. 填空!

1. Ihm schmerzt der Kopf.

2. Ihm schmerzen die Augen.

3. Ihm schmerzt die Hand.

4. Ihm schmerzt der Mund.

5. Ihm schmerzen die Beine.

6. Ihm schmerzen die Arme.

VII. 将反义词连线!

einschalten	↔	ausschalten
ausziehen	↔	anziehen
ankommen	↔	abfahren
alt	↔	jung
einsteigen	↔	aussteigen
gegen	↔	für
hell	↔	dunkel
hier	↔	dort

her	↔	hin
zumachen	↔	aufmachen
zerstören	↔	aufbauen
warm	↔	kühl
vorn	↔	hinten
vor	↔	hinter
verlieren	↔	bekommen
verkaufen	↔	kaufen
über	↔	unter
teuer	↔	billig
spät	↔	früh
schwer	↔	leicht
schlecht	↔	gut
richtig	↔	falsch
reich	↔	arm
rechts	↔	links
ohne	↔	mit
nächst	↔	letzt
nachdem	↔	bevor
lang	↔	kurz
klein	↔	groß
kalt	↔	heiß

VIII. （略）

IX. 德译汉！

1. 他差点在八点钟时没到这里。
2. 我差点忘记给他买作业本。
3. 机器太重了，大家搬不动。
4. 他住的太远了，今天大家不能去看他了。
5. 没有老师，学生们不能好好学习。
6. 再尝试一次的话会更好。
7. 明天早上您能再帮我一次吗？
8. 要是我的德语也说得很好那该多好啊！
9. 如果我用新机器工作，这些工作在一个星期前就能完成了。
10. 您能告诉我他几点钟出发吗？

X. 翻译！

1. Wenn ich Zeit gehabt hätte, hätte ich ihn längst besucht. Hätte ich Zeit in der nächsten Woche, würde ich ihn auf jeden Fall besuchen.

2. Li Ming liegt im Bett. Er ist schwer krank. Wenn er nicht krank wäre, würde er an der Sitzung teilnehmen.

3. Unser Unterricht beginnt um acht Uhr. Wenn ich keinen Unterricht hätte, würde ich auf ihn warten.

4. Zu Mittag gibt es vieles Gutes wie Fisch, Fleisch, Gemüse usw. Gäbe es deutschen Salat!

5. Ich freue mich sehr, dass Sie bei uns essen. Tun Sie so, als ob Sie zu Hause wären!

6. Die Zeit ist zu wenig, als dass man die Aufgabe erfüllen könnte. Herr Li ist zu alt, als dass er bis spät in die Nacht hinein arbeiten könnte.

7. Ohne den Lehrer hätten wir diese Aufgabe nicht erfüllen können.

8. Könnten Sie mir sagen, wie er sich fühlt, ob er Arznei nimmt und mit mir ins Theater geht?

9. Er fühlt sich nicht gut und wäre fast vom Wagen gefallen.

10. Sie steht später auf und wäre beinahe spät.

Lektion 33

＊ 课文译文：

石油价格

中东[*]地区的危机使石油价格每桶上涨 27 美元之多——上涨幅度创半年以来之最。若石油价格继续走高，将会损害世界经济。

国民经济学家克罗地亚温特表示："如果油价保持在 25 美元以上，会对消费产生负面影响并产生通货膨胀。除此之外，为了防止可能出现的通货膨胀，银行迫于压力，会上调利率。"

欧洲中央银行负责人对此表示担忧，由于过高的油价，今年欧洲地区的通货膨胀率将可能卡在 2% 之上。

在交易所，由于中东冲突的加剧和因此引起的油价上涨使这种不安和焦虑快速蔓延。马里乌斯赫诺表示："股票市场已有小幅失控。如果油价上涨到 30 甚至 35 美元每桶的话，将会成为我们真正的忧虑。" 1991 年海湾战争期间，每桶石油就是这个价格。年初时，经济学家期望，可以保护德国的低油价。而根据德意志银行首席国民经济学家诺贝特瓦尔特的意见，这种情况不可能出现。瓦尔特表示："如果油价保持在每桶 25 美元以上，那么今年的国内生产总值将损失 0.3 到 0.4 个百分点。"

周一时油价上涨，阿拉伯欧佩克国家利用伊拉克对石油的需求，把原油供应作为武器。削减原油供应以惩罚那些在巴以战争中支持以色列的国家。在（上个世纪）70 年代时就有一次这样针对西方国家的石油禁运令。那时的油价上涨了四倍，相关国家遭受了巨大的经济损失。

经济学家表示，这种糟糕的情况这次不会出现。科威特已经拒绝了禁运令。在马来西亚吉隆坡举行的伊斯兰国家会谈中，代表团成员表示："如果我们要讨论石油战争的话，就得切合实际。这是一把双刃剑，给我们带来的损失将多于美国。"

此外，可疑的是，主要的石油开采国家如俄国，墨西哥和挪威是否都要加入禁运令。而在过去最主要的石油大国俄国曾多次拒绝欧佩克国家的要求，例如：世界范围的石油开采限度。俄国是继沙特阿拉伯之后世界上第二大石油输出国，也是德国最重要的石油供应商。

＊由于地缘关系，欧洲国家称我国所指的"中东"地区为"近东"。

✳ 练习答案

I. 说出下列动词的现在完成时和过去时！（略）

II. 说出下列形容词和副词的比较级和最高级！（略）

III. 将下列词组变格！

第一格	第二格	第三格	第四格
mein dunkelblauer Mantel	meines dunkelblauen Mantels	meinem dunkelblauen Mantel	meinen dunkelblauen Mantel
eine lange Straße	einer langen Straße	einer langen Straße	eine lange Straße
billiges Brot	billigen Brot(e)s	billigem Brot	billiges Brot
warmes Wasser	warmen Wassers	warmem Wasser	warmes Wasser
kein großes Kaufhaus	keines großen Kaufhauses	keinem großen Kaufhaus	kein großes Kaufhaus
eine neue Maschine	einer neuen Maschine	einer neuen Maschine	eine neue Maschine
meine schwere Aufgabe	meiner schweren Aufgabe	meiner schweren Aufgabe	meine schwere Aufgabe

IV. 填入形容词！

1. Er badet mit <u>kaltem</u> Wasser.
2. Wir sprechen mit den <u>deutschen</u> Arbeitern.
3. Er hat <u>großen</u> Erfolg erzielt.
4. Er hat seinen <u>neuen</u> Apparat gut gepflegt.
5. Er kommt aus einer <u>reichen</u> Familie.
6. Sie ist Tochter eines <u>armen</u> Arbeiters.
7. Er beschäftigt sich zur Zeit mit einer <u>leichteren</u> Arbeit.
8. Er wäscht seine <u>hellblaue</u> Jacke.
9. Er hat sich einen <u>billigeren</u> Mantel gekauft.
10. Er wohnt jetzt in einem <u>helleren</u> Zimmer.

V. 在句中填入介词短语！

1. Der Lehrer nimmt <u>an der Sitzung</u> teil.
2. Sie sprechen <u>von ihrer Hochschule</u>.
3. Ich denke oft <u>an meinen Vater</u>.
4. Die Studenten sprechen Deutsch <u>zum Unterricht</u>.
5. Er ist <u>mit dieser Arbeit</u> noch nicht fertig.
6. Er sucht <u>nach seiner Uhr</u>.

7. Die Produktion erhöht sich <u>von Tag für Tag</u>.

8. Ich habe kein Geld bei <u>mir</u>.

9. Das Mädchen interessiert sich <u>für</u> Deutsch.

10. Sie ist <u>in diese Stadt</u> angekommen.

VI. 用关系代词或连词补全下列句子！

1. Ich hole die Kinder ab, mit <u>deren</u> Vater ich gearbeitet habe.

2. <u>Obwohl</u> er krank ist, geht er zur Arbeit.

3. Alles, <u>was</u> er gesagt hat, interessiert mich.

4. Das sind die Häuser, in <u>denen</u> sie wohnen.

5. Nur denjenigen, <u>der</u> dort spricht, kenne ich nicht.

6. Ich helfe dem Kind, <u>dessen</u> Mutter meine Lehrerin ist.

7. Die Mutter gibt ihrem Sohn 50 Yuan, <u>damit</u> er ein Wörterbuch kauft.

8. <u>Während</u> sie las, schlief ich.

9. <u>Wer</u> fleißig lernt, lernt gut.

10. Er spricht so gut Deutsch, <u>als</u> sei er ein Deutscher.

VII. 填入列出动词的正确时态！

1. Nachdem er die Lampen <u>ausgeschaltet hatte</u>, machte er die Tür zu.

2. Er sagte mir, dass er gestern bei seinem Freund <u>geblieben war</u>.

3. Solange er hier als Lehrer <u>arbeitet</u>, hilft er mir.

4. Seit zwei Jahren <u>hat</u> er in dieser Hochschule <u>studiert</u>.

5. Er liest das Buch, das ich ihm <u>gegeben habe</u>.

6. Während er Brot <u>aß</u>, trank ich Kaffee.

7. Ich sollte im Zimmer bleiben, bevor er <u>gekommen ist</u>.

8. Als er zu sprechen <u>begann</u>, machte ich die Tür zu.

9. Er wartete, bis ich mit der Arbeit fertig <u>war</u>.

VIII. 将下列主动句变为被动句！

1. Es wird hier nicht gearbeitet.

2. Wird in China auch viel Kaffee getrunken?

3. Ist die Maschine gepflegt worden?

4. Es ist ihm sehr viel geholfen worden.

5. Er wurde ein gutes Kind genannt.

6. Eine Uhr wird von der Mutter ihrer Tochter gegeben.

7. Der Text kann vom Apparat geschrieben werden.

8. Ich wurde gebeten, seinen Vater abzuholen.

9. Der Tisch wird unter die Lampe gestellt.

10. Dieses Buch ist von ihm erwähnt worden.

IX. 用不定式或不定式词组!

1. Ich lerne sprechen.

2. Er übersetzt den Text, ohne Wörterbuch zu benutzen.

3. Die Maschine lässt sich pflegen.

4. Ich lasse ihn zu mir kommen.

5. Der Apparat ist gut zu pflegen.

6. Ich gehe ins Kaufhaus, um eine Jacke zu kaufen.

7. Er scheint mit seiner Arbeit fertig zu sein.

8. Er bittet mich, um acht Uhr abzufahren.

9. Er geht ins Kino, statt seine Hausaufgabe zu machen.

10. Sie bemühen sich, das Kaufhaus in 2 Monaten zu bauen.

X. 造句填入动词的虚拟式并翻译!

1. Wenn ich Geld bei mir hätte, könnte ich mir einen Mantel kaufen.
   如果我带钱了就可以买件大衣。

2. Er sagte mir, er hätte keine Lust.
   他告诉我他没有兴趣。

3. Er bat so, als wüsste er nichts davon.
   好像他什么都不知道似的请求我。

4. Es lebe das Vaterland! Könnten Sie mir sagen, wann die Sitzung stattfindet?
   祖国万岁！您能告诉我，会议什么时候举行吗？

5. Wenn er doch die Maschine gut pflegte!
   如果机器已经修好了该有多好啊！

6. Es wäre darauf hingewiesen, dass man keine Zeit verlieren darf.
   需要指出的是，大家不能耽误时间。

7. Die Hausaufgabe ist zu schwer, als dass man sie machen könnte.
   家庭作业太难了，大家不会做。

8. Er hätte seinen Freund beinahe nicht abholen können.
   他差点没接到他的朋友。

XI. 翻译!

Seit fünf Monaten haben wir Deutsch gelernt. Wir sind fleißig, deshalb haben wir großen Erfolg erzielt. Früher konnten wir keine deutsche Wörter. Jetzt haben wir über 500 Wörter erlernt. Wir können Hören, Sprechen, Lesen, Schreiben und

Übersetzen. Wir lernen gern Deutsch, hören oft Kassetten, machen oft Dialoge und Hausaufgaben. Zur Zeit können wir mit Deutschen Deutsch sprechen. Aber Deutsch ist doch schwer zu lernen, besonders nicht zu sprechen. So machen wir oft Fehler. Es gibt auch viele Probleme beim Lernen. Wir freuen uns, dass wir einen guten Lehrer haben. Er hilft uns oft mit Leib und Seele. Er hilft uns, den Fehler zu verbessern. Wir danken ihm sehr. Heute bemühen sich die Lehrer, die Unterrichtarbeit zu verbessern und die Unterrichtsqualität zu erhöhen. Wir glauben, dass wir Deutsch besser sprechen können.

Lektion 34

谚语，诗歌，谜语和绕口令

谚语

1

结局好，一切都好。

2

谁笑到最后，谁笑得最好。

3

"明天，明天，不要今天！"

懒人们都这样说。

罗蕾莱

海因里希·海涅

我不知道这意味着什么，

我如此悲伤；

一个古老的童话，

它使我无法忘怀。

空气清冷天色昏暗，

莱茵河静静流淌；

山之巅闪耀

在落日余晖之中。

最美的少女端坐

在那高处无以伦比；

她的金首饰闪闪发亮，

她梳理着她的金发。

她用金梳子梳理头发

还唱着一首歌；

那是一段奇妙的，

有魔力的旋律。

小船中的船夫
由它引出狂热的不幸；
他不看暗礁，
他只是望向高处。

我相信，波浪最终吞没
船夫和小船；
而这与那位罗蕾莱的歌唱
息息相关。

谁知道，我叫什么？

R 每天，我都给你面包，少了我你就会陷入困境。（黑麦）
H 当你还是个小婴儿时，你可不喜欢没有我。（燕麦）
R 我含油的种子非常有用，人类和鸟类同样渴求。（油菜）
W 想想要吃美味的蛋糕，就不能把我忘记。（小麦）
M 作为食物我供给人和动物，作为布丁我合你口味。（玉米）
H 我对水和土地有利，你自己也常常把我握在手里。（麻）

绕口令
1
费舍尔·弗里茨捕新鲜的鱼。
2
汉斯今天砍霍夫曼家后的木头。

＊ 词汇

① funkeln	*vi.*	闪烁，发光
② der Weizen	*unz.*	小麦
③ der Mais, -e		玉米
④ der Hanf	*unz.*	大麻
⑤ verschlingen	*vt.*	吞下；缠绕
⑥ der Roggen	*unz.*	黑麦
⑦ der Hafer	*unz.*	燕麦
⑧ der Raps	*unz.*	油菜

Ich helf ' zu Wasser und zu Land, du selbst hast mich oft in der Hand.

help ' 是 helfe 的缩写

* 背景知识

海因里希 · 海涅（1797—1856）是 19 世纪德国伟大的诗人。他的早期创作主要是充满浓厚的浪漫主义色彩的抒情诗《歌集》(1827)，后期代表作长诗《德国，一个冬天的童话》（1844）和文艺论著《论浪漫派》（1836）。《Loreley》选自海涅的《新诗集》中的《还乡集》，写于 1823 年。

洛勒莱 (Loreley) 是德国莱茵河畔一百多米高的一块岩石。据许多传说，罗蕾莱是莱茵河神的女儿，白昼潜伏水底，夜间出来高坐在礁石上，瞭望往来的船只。罗蕾莱迷人的歌声随风吹入船上水手的耳中，可怜的水手们便会迷失了本性，忘记了工作，直到他们的船撞在洛勒莱礁石上粉碎而死。这个美丽的传说引发了当时许多浪漫主义诗人的诗兴，他们写下了许多以之为题材的诗作，其中以海涅的这首诗最为著名，后来被许多作曲家谱成曲子。

Lektion 35

✳ 课文译文：

三个懒鬼

　　一位国王有三个儿子，对他而言，三个儿子都一样的可爱。他不知道在他死后应该让哪一个来继承王位。在弥留之际，他把他们叫到床前说："亲爱的孩子们，我考虑了一下，我想要坦白告诉你们：你们中最懒的那一个将继承我的王位。"这时老大说："父亲，如此说来这王国就该属于我，因为我懒到我躺下睡觉时，一滴水落进我眼里，我干脆连眼都不闭直接睡觉。"老二说："父亲，这王位属于我，因为我懒到当我坐在火边取暖时，我宁愿让我的脚后跟烧着了，也不把腿抽回来。"老三说："父亲，这王位应该是我的，因为我懒到假如我要被绞死，绳索已经缠住脖子，有人给我一把锋利的刀来割断绳索，我宁愿让自己被绞死，也不把手抬起来去割绳索。"当父亲听到这里时，他说："你最有出息，国王应该是你。"

✳ 词汇

① j-m etw. eröffnen　　　　　　　　坦白说出，透露，吐露

② die Ferse, -n　　　　　　　　　　脚后跟

③ erhübe（erheben 的虚拟式）vt.　举起，抬起

✳ 难句

① Du hast es am weitesten gebracht ...

　　es weit bringen 表示"一生中很有成就"或"很有出息"，这里同时使用了副词 weit 的最高级，翻译成"你最有出息"。

② j-m lieb sein 意为"爱某人"

✳ 背景知识

　　本文选自格林童话，极具讽刺意味。格林兄弟是指 Jacob Ludwig Karl Grimm（1785—1863）和 Wilhelm Karl Grimm (1786—1859) 兄弟两人，他们是德国 19 世纪著名民间文学搜集整编者、语言文化研究者。出身官员家庭，均曾在马尔堡大学学习法律，又同在卡塞尔图书馆工作和哥廷根大学任教。二人合作编著《儿童与家庭童话集》，其中包括《灰姑娘》、《白雪公主》、《小红帽》、《青

蛙王子》等名篇。此外，格林兄弟还出版过《德国传说》两卷，还编写了《德语语法》、《德国语言史》及《德语大辞典》前 4 卷等学术著作，为日耳曼语言文学的发展做出了贡献。

Lektion 36

✻ 课文译文：

山的回答

丈夫和妻子应邀去城里参加一场婚礼。因为路途遥远，婚礼也要持续一整天，他们之中只能有一个人去。

"你得在家好好待着"，妻子说，"不去参加婚礼你也经常进城，而我一整年都待在家里。"

"不，这可不行！"丈夫说，"第一，我不会挤牛奶；第二，我必须进城去同我父亲商量些重要的事情。"

他们就这样说来说去，没有人愿意待在家。

最后妻子想出一个好主意：在山谷的另一边有一处会说话的悬崖。当人们朝着悬崖呼喊的时候，它会回答。

"或许我们该问问悬崖，我们俩谁该去参加婚礼？"妻子建议道。

"这个想法也不错"，丈夫说。

他们走到悬崖那里。丈夫先来发问。他喊道："我该去参加婚礼还是待在家里？"

"待在家里！"山回答。

轮到妻子。她喊道："我该待在家里还是去参加婚礼？"

"去参加婚礼！"山回答。

"你看！"妻子说，"山想的和我一样！"

问题就这样解决了。妻子去参加婚礼并度过了快乐的一天，丈夫则必须待在家。

✻ 词汇

① j-m etw. zurufen　　　（对着……）喊出，（对着……）大声说
② hin und her　　　　　来来回回，反反复复

✻ 难句

① ... auf der anderen Seite des Tales war eine sprechende Bergwand.

sprechende 这里是第一分词做定语的用法，表主动。

② Nun war die Reihe an der Frau. 现在轮到妻子了。

die Reihe an j-m 表示"下一个轮到某人"。

Lektion 37

＊ 课文译文

慕尼黑的塔猴

　　与古老的故事或神话传说相关联的一些石刻或者绘画的标志，随着老房子们一起消失了。以前在古老的慕尼黑宫廷里有一座塔，在塔顶上人们可以看见一个石刻的猴子。如今的慕尼黑人当然再也想不起来它：最年长的人们几乎也想不起来。关于这只石头猴子怎么到了塔顶上，人们会讲起如下的故事。

　　很久以前有这样一个风俗：大人物们不仅可以拥有宫廷丑角，还可以有宠侍猴子用来消遣和取乐。巴伐利亚的一位公爵在宫廷里就有一只这样的猴子。这只猴子一定又好又乖，因为它可以任意在整座城堡里到处溜达，并且在任何它喜欢的地方停留。那么有一天就意外发生了这只猴子独自在房间里的情形，躺在摇篮里的公爵的小儿子也在这个房间。之前观察过保姆是怎样抱着这个孩子并轻轻摇晃他的这只猴子突然来了兴致，来扮演保姆的角色。于是它从摇篮里抱起小王子，把它紧紧抱在自己怀里，开始兴高采烈地带着这个小孩子跑来跑去。

　　这时候保姆看到了它，当她发现矜贵的孩子在这个粗陋的动物怀里时，惊恐地叫喊出来。猴子受到了惊吓，带着孩子奔跑起来，保姆紧追在它后面，穿过宫殿的走廊，在楼梯里跑上跑下，直到被追踪的猴子来到了屋顶上，从一个洞钻了出去，坐到了骑楼的塔尖上。此时真是无计可施了。宫廷里公爵一家人害怕得要死，没有人敢再跟着猴子，因为王子的生命此刻处于危险之中。

　　人们让它抱着王子就这样在塔上面安静地坐了一段时间。当这只动物看到再次安静下来，追踪者也消失了，它就带着怀里的王子又从屋顶上下来，并把孩子毫发无损地放回了摇篮里。

　　公爵一家对这样的结局如此高兴，却不再允许猴子在侯爵的房间里出现，为了纪念这一幕在塔的城垛上安置了石刻像。

＊ 词汇

① die Überlieferung, -en		传说；习俗，传统
② der Hofnarr		宫廷丑角
③ leutselig	adj.	平易近人的，随和的
④ die Wiege, -n		摇篮
⑤ schaukeln	vt.	摇晃，摆动
⑥ das Entsetzen		吃惊，惊骇，恐惧

⑦ hinauschlüpfen   *vi.*   溜出去

＊ 难句

① Mit den alten Häusern schwindet so manches steinerne oder gemalte Wahrzeichen, daran sich eine uralte Geschichte oder sagenhafte Überlieferung knüpfte.

etw. knüpft sich an etw. 与……联系起来，随之产生。

② Dem Affe, welcher schon mehrmals die Wärterin beobachtet hatte, wie sie das Kind in die Arme nahm, wiegte und schaukelte, kam eine Lust an, die Rolle der Wärterin zu spielen.

此句中的主干是 Dem Affe kam eine Lust an，谓语为可分动词 an/kommen（etw. kommt j-m an 使感到），意为"猴子忽然起了兴致"。中间加入修饰猴子的 welcher 引导的从句，其后又接 wie 引导的宾语从句，说明猴子观察到的内容。句子的最后是一个不定式结构，对前面的 Lust 加以说明。

＊ 背景知识

    慕尼黑是德意志联邦共和国巴伐利亚自由州（Freistaat Bayern）的首府，Bayern 也常被译为"拜恩"或"拜仁"，是德国面积最大的联邦州。作为德国南部最瑰丽的宫廷文化中心，历史悠久的慕尼黑一方面保留了拜恩王国都城的古朴风情，维持着原汁原味的民间习俗；另一方面经济发展势头强劲，成为了德国南部的经济中心，也是仅次于柏林和汉堡的德国第三大城市。

Lektion 38

聪明的法官

有一天，有位有钱人丢了一只装着很多钱的袋子。他将遗失之事公布于众。他愿意奖赏诚实的拾物者一百塔勒。

很快就来了一位诚实的人说："我拾到了你的钱，在这儿，你拿回去吧！"

有钱人非常高兴，他的钱失而复得。但是他不想给这位老实的人赏金。

他慢慢地数着钱并琢磨着。"亲爱的朋友"，他接下来说："我感谢你。但是你看——在这个袋子里原有八百塔勒，现在也就只有七百在里面。你自己已经拿出赏金了吧。"

这位诚实的人申明自己的清白。最后他们俩一起去找法官。法官是个聪明人，很快看出这两人谁诚实谁不诚实。

"你们俩我都相信"，聪明的法官说，"你，有钱人，丢了一个八百塔勒的钱袋，而你，老实人，拾到了一个七百塔勒的钱袋。那么这肯定不是同一个袋子了。这样老实人你可以留着这个袋子。因为有一天那个丢了七百塔勒的人会找来。而你，有钱人，回家等着吧！因为有一天那个捡到八百塔勒的人会送来。"

法官这么一说，也就这样定下来了。

✳ 词汇

① der Finder, -　　　　　　拾得者；发现者
② die Belohnung, -en　　　报酬，酬劳
③ behalten　　　*vt.*　　　留下，保存；保持

✳ 难句

Dieser war ein kluger Mann und sah sofort, wer von beiden ehrlich und wer unehrlich war.

dieser 作为指示代词指代阳性代数名词第一格，即上文说的法官。后半句是 wer 引导的宾语从句，von beiden 表示二者之中。

本文选自 Johann Peter Hebel (1760–1826) 的故事集《Der kluge Richter und andere Geschichten》。他出生在瑞士的巴塞尔，德语作家，所写故事多取自民间，篇幅短小，幽默风趣，被誉为德语文学中轶事体裁的奠基人之一。

Lektion 39

✱ 课文译文

关于新住宅的谈话

安娜：这里是你的了，真好，英格，我喜欢这房子。

英格：是的，它很好，有点儿小，但更多的我也付不起。

安娜：你要付多少钱呢？

英格：房租 600 欧元，就只是单纯的租金。水电费另付。对于这个带厨房的两室来说已经是很多钱了。

安娜：你说的没错，确实很多钱，不过，我喜欢这儿，这地点也挺好的，许多小商店，电影院，小酒馆——所有这些就在门口。

英格：是呀，这条街非常好，这一区建于世纪之交，并且像当年一样实用。从前这里住的都是官员和有钱人。现在这儿住了许多不同的人，工人、学生、小职员、几个外国人。正是如此，这里才这么的有意思。

安娜：对，我发现了，楼下那间杂货店，看起来像南欧风格。

英格：是的，它是一个希腊人的，你在那里总是可以买到新鲜的水果蔬菜和蛋类，它们都来自那些种植有机果蔬的农民。街道尽头是一间意大利餐厅，面包店就隔着两栋房子，再旁边是一间女士酒吧，在另一条平行的街道上是一家小超市和一家书店，那儿有很多可供选择的书籍。我有时会去那儿，因为总是有不同类型优秀的人，非主流、环保人士等等之类的。对了，到地铁站只要五分钟。（简化）

安娜：那你是怎么得到这个房子的？我能想象出，肯定有很多人想要这房子。

英格：当然许多人想要拥有这样的房子。但是这套房子的租赁信息并没有登在报纸上。我是通过一个熟人得到它的。他搬去和他女朋友同住了，而且他知道我在找房子。

安娜：那你给他付信息费了吗？我想，房屋中介总是要钱的，房产经纪人或者房产公司也都是收钱的。

英格：很走运，他没有要。我简直是把这儿全部翻修了，还为他支付了搬家的费用。

安娜：你的确很幸运，很少有人能找到这样的房子。

英格：你说的很对，我也很庆幸。

安娜：听起来一切都非常棒。就没有什么不好的，没有缺陷？

英格：嗯，还是有的，周末时，在周六晚上偶尔会有点吵，因为有些醉汉，一些年轻人，站在街角胡说八道，其他的都真的非常好。

安娜：哦，只要住在城里面，到处都是如此。那么，这栋房子里，都住了些什么人？

英格：可以说是各色人等。我楼上是一对年轻的夫妻，最顶层住着一位单身的男士。对门是合租的大学生，楼下是那位希腊人和他的家人。另外还有两位男士，我还不认识他们，我想他们不是德国人，我不确定。当他俩谈话的时候，我不知道是哪一种语言，也许是波兰语或者捷克语，这些我都不熟悉。

★ 词汇

① der Grieche, -n   希腊人

② der Makler, -   经纪人（尤指房地产经纪人）

③ das Immobiliengeschäft, -e 不动产交易，房产交易

★ 难句

..., der ganze Stadtteil stammt aus der Jahrhundertwende und ist praktisch so geblieben wie damals.

stammen aus 本意是"来自，源于"，在此处主语为"城区"，可以意译为"始建于"。

★ 背景知识

在德国租房，通常分为冷房租和暖房租。kalt (Kaltmiete)，缩写为 k.，指纯房租，不包含任何其他费用。与之对应的是 warm (Warmmiete)，缩写为 w.，也翻译为暖房租，即包括水电供暖等费用。

Wohngemeinschaft，缩写为 WG，指多人合租一套房屋。在德国常见几个学生合租一个单元房，每人居住其中的一个房间，共同使用厨房、浴室及洗衣机等。

Lektion 40

同一个朋克的谈话

记者：汉森先生，能见到您并有时间跟您交谈，这样真好。

汉森：嗯。

记者：您看起来很有趣，我喜欢这彩色的、狂野的 T 恤，这撕破的裤子
……还有您的头发，我觉得这个彩色的发型很好，简直是太棒了！
但是您已经不再年轻了，我猜您三十五、四十岁上下吧。您看起来
还一直那么朋克，穿朋克的服装，留朋克发型……

汉森：嗯。

记者：汉森先生，您为什么是朋克？

汉森：那，我是普通人，跟我可以直接说"你"。对朋克，这很明显。

记者：我明白。你去工作吗？

汉森：工作？不，那很无聊又赚不到足够的钱。以前我一直想要有体面的
衣服、羊毛衫、时髦的领带、皮鞋和昂贵的汽车等。现在我不再需
要了。我的裤子有洞，T 恤破了，但是对一个朋克来说这些都没问题。

记者：这不会困难吗？……作朋克？……没有工作，没有钱？人们也会笑
话……

汉森：那个，还行吧，也没有那么糟糕，我还有沃莉。

记者：沃莉？是你的女朋友吗？

汉森：是的，她也是一个朋克。

记者：你是怎样认识她的？就在这马路上吗？

汉森：不是，在高速公路上，差不多十五年前了。我还记得很清楚是怎么
一回事。她在拦车。她想要途中搭车到法兰克福去，我就带上了她。
她看起来疯疯癫癫，她的胳膊上有一个纹身，穿着破裤子和用纸做
的衬衣。

记者：用纸做的？

汉森：是的，纸质的衬衣。而且她有个疯狂的发型，绿色的头发。我挺喜欢的。
她耳朵上有个别针，一个安全别针。她把它送给了我。

记者：她把别针送给了你？然后呢？

汉森：然后？然后我们找了一处房子，从此生活在一起。

记者：真的一起？像结婚那样？

汉森：是的，当然！你想问什么？不然呢？你没有老婆吗？

记者：那很好，我的意思只是……你们靠什么生活？

汉森：靠沃莉，……她有足够的钱，是她父母给的。

记者：那你们从没有过问题，没有过危机吗？

汉森：没有，什么危机？你指的是什么？

记者：就是，如果人们一直一起生活，总会发生很多事情。

汉森：我们没有，一切都很好。只有一次，沃莉想要离开我。因为我把她的别针弄丢了，但是幸好我又找到了，然后一切又都复原了。

★ 词汇

① zerrissen 是 zerreißen 的第二分词"破 (裂) 的，分裂的"

② die Sicherheitsnadel, -n （安全）别针

★ 难句

本文是一篇采访，有大量的口语用法：

① Nee, das ist langweilig und da verdien' ich auch nicht genug Geld. (= Nein, das ist langweilig und da verdiene ich auch nicht genug Geld.)

② Früher wollte ich immer elegante Kleidung haben, Pullover aus Kaschmir, moderne Krawatten, Lederschuhe, 'n teures Auto und so. (= ... moderne Krawatten, Lederschuhe, und teures Auto und so.)

③ Ja, und sie ist auch 'ne Punkerin. (= ... sie ist auch eine Punkerin.)

★ 背景知识

朋克 (Punk) 是一种诞生于 20 世纪 70 年代中期的简单摇滚乐。朋克音乐不太讲究音乐技巧，更加倾向于思想解放和反主流的尖锐立场，这种初衷在当时特定的历史背景下在英美两国都得到了积极效仿，最终形成了朋克运动。

继而，朋克文化从舞台走向生活：男人梳起了莫西干头；女人则把头发剃光露出青色的头皮；鼻子上穿洞挂环；穿着磨出窟窿、画满骷髅和美女的牛仔装——通常他们并不是为了表现自己是朋克 (Punker) 而如此装扮，而是以此表现他们的叛逆和对现实社会的不满。

Lektion 41

* 课文译文：

逃到酒精和毒品中去

忧虑、不满和失望很容易感染失业的年轻人，使之逃到酒精和毒品中去忘记他们不能承受的境遇。

无论是独自且隐秘的，还是和朋友们一起，酗酒都使失业者的情况更糟：他变得更无所谓，更消沉，更麻木，并且失去控制。他在就业市场的几率降到谷底。

另一种形式的逃避是毒品。在它的影响下，年轻人对现实就无动于衷了。因为身体习惯了毒品，必须持续增加剂量来唤醒短暂的臆想的快感。每扎一针就将这个瘾君子在通往坟墓的路上更带进一步。

如果一个失业的年轻人依赖上毒品，他就会逐渐毁了自己。他是在慢性自杀。克里斯蒂安 F. 这样说道：

几乎每晚我都去教会青年之家"中间屋"俱乐部，在那里抽大麻。那些在帮派里有钱的人们，给其他人一些。我不觉得抽大麻有什么特别的。

我不光抽，在没有麻醉剂的时候，我也喝葡萄酒和啤酒。这在我从学校出来的时候就已经开始了，或者在我旷课的那些中午。我不得不一直用各种方法麻醉自己。我一直神志不清。我也不想去面对那些学校里和家里面乱七八糟的事。学校对我来说彻底无所谓了。我的平均分数很快从两分降到四分直落到五分。

我自己的样子也完全变了。我变得极度瘦弱，因为我几乎不怎么吃东西。所有的裤子对我来说都太肥了。我的脸也完全消瘦下来。我常常站在镜子前。我喜欢我的改变。我看起来越来越像帮派里面其他的人了。我无辜的娃娃脸终于不见了。

* 词汇

① apathisch	*adj.*	漠不关心的，麻木不仁的，无精打采的
② evangelisch	*adj.*	（路德派）新教（会）的
③ schwänzen	*vt.*	[口]（无正当理由）不去参加，逃避，旷废，耽误（按计划进行的活动，尤指学校课程等）
④ konfrontieren	*v.*	迫使……面对
⑤ mager	*adj.*	瘦削的，瘦弱的
⑥ ein/fallen	*vi.*	(Wangen 面颊) 消瘦，下陷

★ 难句

Diejenigen, die in der Clique Geld hatten, gaben den anderen was ab.

die 引导的关系从句修饰 diejenigen，译为"帮派中那些有钱的人"。主句 Diejenigen gaben den anderen was ab 中，谓语是可分动词 ab/geben 的过去时，was 这里是不定代词，在口语中是 etwas 的简称，表示"某事，某物，某东西"。

★ 背景知识

德国学校中，教师给学生评定分数的记分制为 1 至 6 分：1 分为优，2 分为良，3 分为中，4 分为及格，5 分为不及格，6 分为差。文中主人公平均分数由 2 分跌到 4 分直到 5 分，就是说其成绩由良到不及格。

Lektion 42

✳ 课文译文：

一个坐轮椅者讲述他所作的旅行

对伦讷先生的采访

采访者： 伦讷先生，首先衷心感谢您接受这次采访。我非常高兴，能和您聊聊您的这次旅行。

伦讷先生： 是的，嗯，我也觉得很棒，很高兴我能来讲一讲。

采访者： 伦讷先生，我们于 1994 年相识在去南美洲的旅行中。那实际上是您第一次旅行吗？

伦讷先生： 不是，在那之前我已经在路上了。

采访者： 您已经去过哪些地方了？ 如果我可以问的话。

伦讷先生： 可以，那我就得讲好多东西了。那么，1988 年是我第一次远行，和我的朋友一起。我们在纽约待了两个礼拜。然后第二年我跟团去了新加坡、印度尼西亚和巴厘岛，然后……

采访者： 停一下，停停，对而言这太快了，我不能完全记住。您说说看，您是怎么做到的？ 我觉得，坐着轮椅旅行，不是很困难吗？

伦讷先生： 这么说吧，您是对的，这并不容易。必须要经过很好的锻炼，身体上要精力充沛，我就定期做运动。我认为，人们也必须坦然面对新鲜事物，并适应陌生的部分，那么就可以了。您看到了，我就没发生什么事情。但是对我而言，比如说参加一个去中国的旅行团和独自飞往伊斯坦布尔是不一样的。

采访者： 什么？ 难道您不想跟我讲讲，您还到过中国和土耳其？

伦讷先生： 是，没错，1990 年我参加了一个去中国的旅行团，在北京待了九天，1991 年我还独自在伊斯坦布尔待了两个礼拜。

采访者： 现在只差非洲和澳大利亚，那么您就去过所有的大洲了！

伦讷先生： 是的，确实如此，我也想到了。所以我 1992 年到了悉尼及周边，还有中国香港和澳门，1993 年到了南非的开普敦。

采访者： 哦，伦讷先生，这太难以置信了！ 您知道吗？ 您应该在互联网上建一个主页。那么您就能为其他坐轮椅的人提供旅行可能性的信息了。

伦讷先生： 这是个不错的主意，但是您知道，已经有给坐轮椅者看的杂志了，那里有很多旅行信息。

采访者：	这么说……开普敦之后就是南美的旅行了，我们就是在那里认识的。
伦讷先生：	不，还没有。在那之前我还到了越南，在 1994 年 2 月。
采访者：	越南？为什么是越南？您收到邀请了吗？
伦讷先生：	这说来话长了。但是简而言之，第一次我独自去那儿，第二次去拜访朋友。
采访者：	那肯定非常难。您说越南语吗？
汉森：	不，用一些英语我就能交流了。但是你说的对，那并不容易，气候呀、街道呀……
采访者：	这张照片，我这里看到的这张，是在哪里？
伦讷先生：	这是在阿根廷南部一个岛上的南极周围地区，1998 年。
采访者：	那么您是怎样到达那里的呢？
伦讷先生：	我去看望我在阿根廷布宜诺斯艾利斯的朋友，从那里飞往火地岛的乌斯怀亚，然后搭乘不莱梅号船，到达南极周围地区。
采访者：	伦讷先生，在这次旅行中对您而言什么是特别困难的吗？比如说同行者对您作何反应？他们帮助您吗？
伦讷先生：	嗯，不管是同行者还是其他国家的人们，大家总是非常积极的，是的，我没有遇到过不好的负面的事情。不管我在哪里，总是得到他们的帮助。当然也有一些不同之处，而且总是如此。不，我旅途中的人们是没有问题的。但是还有一些其他的事情。比方说，并不是所有的旅馆、街道、车站和公共汽车都为坐轮椅者做好准备。比如有时没有电梯，有时厕所太狭小，我坐在轮椅上就不能移动，或者在街道上，当我想过马路的时候并没有坐轮椅者的位置……是些日常生活中的小事，使旅行常常变得困难。
采访者：	有没有在某些地方留下特别的回忆？我是说，您能回忆起一些特别的事情吗？
伦讷先生：	我有很多美好的回忆，我也一直在拍照，它可以帮助我回忆，但是有些记忆我是永远不会遗忘的。当我到达阿根廷布宜诺斯艾利斯，想要下飞机的时候，我的轮椅不见了。
采访者：	什么？您轮椅不见了？怎么会发生这样的事情？
伦讷先生：	我也不知道。起飞的时候，乘务员将我带到了我的座位上，然后把轮椅放在行李舱的某处。而到了布宜诺斯艾利斯，它不在那里。
采访者：	那么然后呢？您怎么办呀？
伦讷先生：	是的，那确实不易。他们给了我一个其他的轮椅，但是并不舒

服，太大了。我的朋友到机场接我，然后我们回到了他的家。

采访者： 然后？

伦讷先生： 是的，然后他打电话给航空公司，我们想知道发生了什么。航空公司去找我的轮椅。

采访者： 他们找到它了吗？

伦讷先生： 是的，轮椅在去智利的路上。

采访者： 去智利？

伦讷先生： 是的，在去往圣地亚哥的飞机上。就是我来时乘坐的那架飞机。也许错误在起飞时就发生了……他们把轮椅塞进一个错误的集装箱里了。

采访者： 然后呢？

伦讷先生： 是这样的，同一天它就从智利回到了布宜诺斯艾利斯，航空公司把它给我们送到了家里。您可以想象，我当时有多高兴。

采访者： 是的，我的确可以想象得到。伦讷先生，最后还有两个问题，当然您不是必须要回答。您多大年纪了？

伦讷先生： 58岁。第二个问题肯定是，我在轮椅上多久了。

采访者： 是的，您怎么知道我想问这个问题？

伦讷先生： 嗯，我等这个问题等好久了，人们总是想知道这一点。是这样，我从前是个登山运动员，22岁的时候在山里发生意外。从那时起我一直坐轮椅。

采访者： 那么您是做什么工作的？您的确在上班，对吧？

伦讷先生： 是的，当然，我在技术大学的图书馆管理处工作半天。

采访者： 您接下来还有旅行计划吗？还是您现在已经看到足够多了？

伦讷先生： 足够了吗？不，我还想要更多的旅行，世界这么大，我想要看得更多。但是无论如何，下一次我要到洪都拉斯看望我的教子。我只是通过照片和信件知道他，我想是时候亲自见一面了。

＊ 词汇

① sich verständigen (mit j-m über etw.) 互相理解，听懂

② der Steward, -s （轮船、飞机和长途汽车上的）服务员，乘务员

＊ 难句

① Also... nach Kapstadt kam die Reise nach Südamerika, wo wir uns kennen gelernt haben.

第一个 nach 表示次序，翻译成"在开普敦之后"；第二个 nach 表示方向翻译成"去往南美的旅行"。

② Ich kenne es nur von Fotos und Briefen und ich denke, dass es höchste Zeit ist, dass wir uns persönlich kennen lernen.

其中固定搭配 Es ist höchste Zeit (etwas. zu tun) 在第一组宾语从句中表示"到（非做某事不可）的时候了"，而其后接第二组宾语从句具体说明要做的这件事情。

✱ 背景知识

本文讲述一名残疾人坐轮椅环球旅行的故事，文中出现了大量的地名。亚洲的国家和城市有：Singapur 新加坡，Indonesien 印度尼西亚（旅游胜地 Bali 巴厘岛），die Türkai 土耳其（第一大城市 Istanbul 伊斯坦布尔），Vietnam 越南。非洲的有：Südafrika 南非（立法首都 Kapstadt 开普敦）✱。美洲的有：Argentinien 阿根廷（首都 Buenos Aires 布宜诺斯艾利斯），Chile 智利（首都 Santiago de Chile 圣地亚哥），Feuerland 火地岛（首府 Ushuaia 乌斯怀亚）位于南美洲最南边，分属阿根廷和智利，与南极大陆隔海相望。

✱南非有三个首都：行政首都 Pretoria 比勒陀利亚，立法首都 Kapstadt 开普敦，司法首都 Bloemfontein 布隆方丹。

Lektion 43

✳ 课文译文：

今日德国

如今来德国的人，无论是作为陌生人第一次来到德意志联邦共和国，还是早就习以为常，不管怎样——都能立即感受到：这是一个生机勃勃的国家，如今它在思考并在追求。

德国位于欧洲的心脏位置。被九个邻国所围绕。加入了欧盟和北约的德国成为连通中欧与东欧国家的桥梁。

德国有大约 8210 万居民，其中 730 万为外国人。德国是仅次于俄罗斯的欧洲人口大国，并属于欧洲人口密度最大的国家之一，每平方公里居住 230 人。

德国由 16 个联邦州组成：巴登—符腾堡、巴伐利亚、柏林、勃兰登堡、不来梅、汉堡、黑森、梅克伦堡—前波莫瑞、下萨克森、北莱茵—威斯特法伦、莱茵兰—普法耳茨、萨尔、萨克森、萨克森—安哈特、石勒苏益格—荷尔斯泰因以及图林根。

德国的地形特别多样且迷人。在气候方面，德国位于太平洋与东部大陆性气候之间的温和凉爽的西风带范围中。气温很少有大的波动。

德国正视自己，也正视邻国。并非总是如此，但也是好事。

在第二次世界大战中，这个国家陷入如此无节制的前景中，以至于由此演变成了一段残暴的历史。但它也真的在公正且认真地关注这一段过去，而这也一步步为德国带来了一个它能够存在，并且其他国家能够与它并存的今天。

在第二次世界大战结束的时候，整个德国躺在废墟之中。德国人民紧接着就开始重建自己的国家。经济增长迅速。这种飞速的发展被全世界称为经济奇迹。那时在德国的国土上有两个德国。在 1990 年 10 月 3 日，德国统一变成了现实。

如今来德国的人看到的是完全不同的景象。在这个国家那些大城市里见到的，耸立在那的建筑在 50 年前都是完全不存在的。然而有时它们——比如古老的纽伦堡——如此崭新，如此认真，如此准确地从瓦砾堆被重建，以至于人们会觉得现在和过去是一样的。

人们必须而且应该在德国来来回回到处走走，就会了解到眼前的另外一面。人们发觉如今在德国到处都有很多值得注意和重视的。

现在的德国，无论在哪里，处处都透着新意且令人吃惊。拥有如此之多的焦点和中心，如同它多样的地形，将不同寻常的当代德国呈现在众人面前，其影响也从各处来并扩散到各处去，并伴随着它们给予经济和文化、政治和社会，尤其是精神、艺术和科学上的能量。

① spüren	*vi.*	觉察到，感觉到
② trachten	*vi.*	追求，力求，致力于
③ stürzen	*vt.*	弄翻；推翻；投入；扔入
④ abscheulich	*adj.*	令人厌恶的，卑鄙的，残暴的
⑤ gewissenhaft	*adj.*	认真的，仔细的
⑥ sich befassen mit ...	*v.*	从事……，致力于……，关心……，
⑦ die Trümmer	*Pl.*	碎片，瓦砾，废墟
⑧ funkelnagelneu	*adj.*	崭新的，全新的
⑨ der Brennpunkt, -en		焦点，中心
⑩ von überallher		从各处来

* 难句

① Klimatisch liegt Deutschland im Bereich der gemäßigtkühlen Westwindzone zwischen dem Atlantischen Ozean und dem Kontinentalklima im Osten.

此句的主语是 Deutschland "德国"，Klimatisch 在这里作为副词，说明"在气候方面"。im Bereich 意为"在……范围"，后接第二格 der gemäßigtkühlen Westwindzone "温和凉爽的西风带"及介词词组。

② Wahr ist aber auch, dass es sich sehr genau und gewissenhaft mit dieser Vergangenheit befasst hat, und das hat ihm Schritt für Schritt ein Heute erbracht, in dem es leben kann und andere mit ihm leben können.

此句中的第二个 und 连接了两个并列的句子，前半部分是一个宾语从句，后半部分是一个关系从句。宾语从句中的动词 sich mit etw. befassen 意为"从事于，致力于；研究，关心"。关系从句的主语中主语 das 指代前文，间接宾语 ihm 指代德国，而直接宾语 Heute 正是后面关系从句所修饰的对象。

* 背景知识

　　二战后，根据《克里米亚声明》和《波茨坦协定》规定，战败的德国暂由苏联、美国、英国和法国四国分区占领。后来美、英、法三国占领区合并，在 1949 年 5 月成立了德意志联邦共和国 (Bundesrepublik Deutschland)，简称联邦德国 (BRD) 或西德；同年 10 月，苏联占领区也宣告成立了德意志民主共和国 (Deutsche Demokratische Republik)，简称民主德国 (DDR) 或东德。自此，统一的德意志国家一分为二，在世界舞台上同时出现两个德国。直到 1990 年 10 月 3 日民主德国正式加入联邦德国，两德重新实现统一。

Lektion 44

中德关系

1972 年 10 月 11 日，中华人民共和国与德意志联邦共和国建立了外交关系，从那时起，中德两国在各个领域的友好合作关系，其发展速度、规模和强度都是史无前例的。

两国之间高层互访频繁。实现了协调机制和两国政府部门间不同等级的合作。特别是两国国家首脑和政府领导人之间的互访，加深了双方的理解，推动了两国的合作。

在经贸方面的合作持续发展。德国是中国在欧洲最大的贸易伙伴。2001 年，中德两国的贸易总量达到 235.2 亿美元。德国也是中国在欧洲引进技术最多的国家。截至 2001 年底，德国在华直接参股经营的项目有 2701 项，总价值约 70 亿美元，主要集中在交通、电信、能源产业和基础设施。中德两国政府在金融和技术方面的合作非常成功。德国在中国实施了超过 160 项的发展援助。在加强传统贸易合作的同时，两国也积极开发新的合作形式及合作领域。

在科技、教育、文化、环保等方面的合作与交流也不断扩大。逐渐形成了不同层面、不同渠道、众多领域与不同形式的多种多样的交流关系网络。在 1997 年，两国启动了高科技对话论坛。双方各有约 120 所高等院校建立了伙伴关系。双方的在职业教育方面的合作发展成果显著。非官方的交流形式多样内容丰富。中国的各省市与德国的各联邦州及城市之间已经建立了 40 多项伙伴关系。直接的文化交流发展生机勃勃。

在许多重大的国际问题上，中国和德国持有相同或相近的观点。双边在许多重要的全球性问题上保持着紧密的协商与良好的合作，如不扩散核武器及生化武器、裁减军备、控制毒品、环境保护等。中国支持欧洲统一和欧盟一体化进程，并且乐于见到德国在国际事务中扮演更加重要的角色。中国政府和中国人民一如既往的理解并支持德国统一。德国政府坚持"一个中国"。德国支持中国继续改革开放并支持中国加入世贸组织。德国是中国在欧洲重要的合作伙伴，而中国也在德国的亚洲计划中有着重要的地位。

中国和德国地理距离遥远，在社会体制、历史、文化、意识形态、价值观和经济发展水平等方面均存在差异。因此双方在一些问题上的观点和行为方式不尽相同。然而在一个多元化世界中这些差异和不同点是很常见的。它们是彼此交流的必要基础，并成为了互相学习的前提条件。

中国和德国都想要建立一个长期的稳定的友好合作关系，相信这不仅有利于两国和两国人民，也有助于世界的和平、稳定与发展。

✱ 词汇

① rege	*adj.*	活跃的，繁忙的
② hochrangig	*adj.*	高等级的，高级别的
③ die Koordination, -en		相互配合，协调
④ unterhalten	*vt.*	供养；维持，经管；保养，维护
⑤ im Rahmen		在……范围内
⑥ das Geflecht, -e		网
⑦ sich herausbilden		（逐渐）形成，产生
⑧ die Konsultation, -en		（政府间的）磋商，协调
⑨ die Ideologie, -n		思想（体系），意识形态

✱ 难句

Mechanismen zur Koordination und Kooperation auf unterschiedlichen Ebenen zwischen den Ministerien beider Länder wurden errichtet.

此句为被动态，主语是复数名词 Mechanismen（der Mechanismus 机制，体制）和 Kooperation（die Kooperation, -en 合作，协作），它们后面各接不同的介词短语作为修饰成分。

✱ 背景知识

Nichtverbreitung von ABC-Waffen 意为"不扩散核武器和生化武器"，其中 ABC-Waffen 是 atomare, biologische und chemische Waffen 的缩写，分别指原子、生物和化学武器。

Lektion 45

* 课文译文：

德国是上海的第一投资者

德中贸易繁荣兴旺。大众汽车的故乡正是上海的第一投资者。

德国是中国在欧洲最重要的贸易伙伴，自去年 11 月总理之行以来，德国人甚至一跃成为上海的第一投资者。施罗德的访问表明了德国工业是多么想要参与到中国强有力的发展市场中来。对于德国人而言，中国是最后值得被占领的未来市场之一。几乎没有一个国家像中国一样，让德国大型企业的董事长们如此频繁的来访。

磁悬浮列车示例

特别是当涉及到一项像磁悬浮列车这样有声望的项目时，第一联盟必须出场，联邦经济部长米勒认为："我听说，分别承担此项目 50% 的皮埃尔和舒尔茨两位先生，还再次亲自担任了项目经理的角色，这种情形在如此级别的董事长中间可不是那么常见。"

然而在上海的磁悬浮建造也显示了，在中国当涉及要突出德国投资者的利益时，政治护航是多么的重要。几乎每个月都有一位德国政要到上海视察建设进程。

中产阶级紧随其后

很长时间以来，到中国来冒险的不仅仅是大企业。自去年起，上海商会记录下了中产阶级惹眼的蜂拥而至。他们通常不仅仅是考察，而是想要创建自己的企业。德国商会建议他们冷静一下，应该对市场有更好的准备，作为他们的先行者，第一次创业罕有不失败的。

在距上海 50 公里的太仓工业园，可以遇到很多的中产阶级，他们从一开始就成立了自己的公司。在过去的五六年间，许多德国企业迁居这里。

在此期间，德国人在太仓投资了大约一亿欧元。因此他们受到礼遇。在太仓工业园，中小企业同样受到欢迎，特别是当涉及到一家像可口可乐这样的跨国公司时。而工业园中的低廉租金和人力，也（成功地）吸引了中产阶级来到这里。

* 词汇

① die Flankierung	站于……两侧，护送
② die Handelskammer, -n	商会
③ der Multi, -s	（Multinationaler Konzern 的缩写）跨国公司
④ der Zustrom	（人群的）拥进，拥入

132

✳ 难句

Beruhigend sei, so die deutsche Handelskammer, dass ...

此句中引述德国商会的意见，使用了第一虚拟式及第二虚拟式。

✳ 背景知识

太仓位于江苏省东南部，东濒长江，南依上海，西连昆山、苏州，北接常熟，国家一类口岸太仓港已成为上海国际航运中心组成部分，年吞吐量达百万吨。境内的太仓工业园，已集聚了 140 多家德资企业，成为了江苏省乃至全国德资企业密度最高、发展最好的地区之一，被誉为"中国德企之乡"。

Lektion 46

* 课文译文：

一首德国诗歌——禁忌

不在鼻子上穿洞，不在床上抽烟，
不对胖人说："嘿，你真肥！"
不用手指吃东西，不闯红灯，
祝福女交警远离死亡。

不谈论性事，从不说"真无聊"，
不在室内游泳池裸泳，
既不蹭车也不蹭看收费电视，
我允许你偷时间却不能偷表。

禁忌——人们不能做的那些事情，
即便想去做，人们还是如此强烈渴望。
禁忌，禁忌，禁忌。

不用"你"来称呼祖父，不伪造支票。
不在妈妈的桌布上留下污渍，
不在忏悔时说谎，不在嘴里塞满东西时聊天。
不能自相矛盾，甚至联邦国防军也不行。

从不问女士的年纪，
不贴在墙上偷听，哪怕它令人兴奋，
不对黑人说"黑鬼"，
女士不同比自己年轻的男子谈恋爱。

禁忌——人们不能做的那些事情，
即便想要去做，人们还是如此强烈渴望。
禁忌，禁忌，禁忌。

★ 词汇

① bohren   *v.*   钻孔

② fad   *adj.*   淡而无味的，单调的，无聊的

③ scharf (auf etw./ j-n) sein   [口] 强烈渴望得到某物 / 某人

④ der Scheck, -s   支票；凭证

⑤ der Klecks, -e   污渍

★ 难句

man darf nicht widersprechen, schon gar nicht beim Bund.

Bund 在口语中可以作为 Bundeswehr "德国联邦国防军" 的缩写。

★ 背景知识

     本文是由德国歌手、词曲作者兼卡巴莱（小型歌舞）演员 Pe Werner 作词谱曲并演唱的一首歌的部分歌词。

     所谓禁忌就是那些因传统习惯或社会风俗等原因应避免使用的词语或忌讳的行为。当代对于禁忌的研究主要集中在跨文化交际领域，其中包括言语禁忌和习俗禁忌问题，本文中都有涉及。不同的国家、民族之间，不同的语言之中的禁忌都不尽相同。

✳ 课文译文：

基因技术生产的食品

基因技术属于最先进的最有争议的技术。它已经投入或将投入使用的领域包括医学、药剂学和食品科学。下面要讲的就是上文所提到的最后一个领域。

自从人类饲养动物和大面积种植植物以来，就试图通过培育手段来改变农作物和家畜的特性。例如已经成功地培育出有两对肋骨的猪，这样它们就能够提供更多的肉。而如今买到不同种类圆白菜的人们，也几乎没有人知道，它们最初全部来源于同一种经过人类培育而改变的植物。

基因技术可以看作是"培育"的一种特殊的进一步的发展模式。在培育的过程中，并不是将两种不同生物的全部遗传特征混合，而只有单一个体的遗传信息（即"基因"）被传承下来。这意味着，所有有针对性的特定的属性都可以被改变。

基因技术的拥护者指出，这项技术可以带来一系列的好处：例如通过基因技术的改变，使农作物对有害的真菌和病毒产生抗体，这样一来人们可以避免使用农药，从而减轻环境的负担。产量也可得到提高。

此外，植物中的营养成分也可改变，由此提高食物的价值。基因技术生产的谷物中含有维生素 A 的水稻品种就是一例。最后，用基因技术降低植物（例如土豆）中的有害物质也成为可能。

反对者强调基因技术给环境和健康带来的危害。如果食物中除了所期望的改变之外，还有更多不被觉察的基因改变，例如合成了新的有害的成分，就可能引起健康隐患。如果被基因技术改变的生物们，不管是细菌、植物还是动物，在自然环境中繁殖却不按预计的那样生长，到目前为止，没有人知道会发生什么。陌生的基因可能会威胁到整个生态系统乃至气候。

✳ 词汇

① unstritten	*adj.*	尚无定论的，有争议的
② die Pharmazie		药学，药剂学
③ an/bauen	*vt.*	（大面积）种植，栽培
④ züchten	*vt.*	栽培，培植，培养
⑤ die Rippe, -n		肋骨，排骨
⑥ das Erbgut		遗产，遗传特征（的总和）
⑦ der Organismus, ...men		生物体，有机体

⑧ die Bakterie, -n　　　　　　　　　（常用复数）细菌
⑨ sich vermehren　　　　　　　　　繁殖，（数量）增加，增多

＊ 难句

① Die Gentechnik kann als eine besondere, weiter entwickelte Form der Züchtung angesehen werden, bei der nicht das gesamte Erbgut zweier Lebewesen gemischt wird, sondern nur einzelne Erbinformationen, so genannte Gene, übertragen werden.

本句是一个带有情态动词的被动态的主句加上一个关系从句的结构。关系代词 der 位于介词 bei 之后，为第三格，指代的是前文中的 Züchtung。从句中又包含一个 nicht...sondern... "不是……而是……"的结构，其中的两个分句也都为被动语态。

② Und bisher weiß niemand, was passiert, wenn sich gentechnisch veränderte Organismen, ob es nun Bakterien, Pflanzen oder Tiere sind, in der Umwelt vermehren und anders als erwartet verhalten.

本句是一个 was 引导的宾语从句，加上一个 wenn 引导的条件句。其中 ob 带出的是一组插入语，用来说明 Organismen。此外条件从句中的谓语动词 vermehren 和 verhalten 均为反身动词，它们的反身代词 sich 位于从句的前半部分。条件从句的主语是 gentechnisch veränderte Organismen，这里第二分词 verändert 作定语修饰 Organismen 表示被动，翻译为"被基因技术改变的生物们"。

＊ 背景知识

　　所谓基因工程技术，就是在基因（DNA）水平上，用分子生物学的技术手段来操纵、改变、重建细胞的基因组，从而使生物体的遗传性状按要求发生定向的变异，并能将这种结果传递给后代。有人预言：21 世纪有望成为基因时代。基因工程技术将会引起农业、保健业、制造业甚至人类自身的戏剧性变化。

Lektion 48

✳ 课文译文：

原子船，原子飞机，原子机车

原子反应堆已经被成功地应用于潜水艇。这第一代潜水艇，通过原子能驱动，一小堆核燃料所获得的能量相当于几千吨煤所产生的。这些核潜艇可以无限期呆在水下，因为它们的发动机不需要空气。比如说，它们一次都不用浮出水面就可以环球航行。它们也不需要在航行中停靠任何港口来装载燃料。

实践证明，用原子能驱动船舶是切实可行的。可以预见，客轮或商船航运将有广泛使用的可能性。反应堆的高重量是由厚重的保护墙所产生的，它们对保护全体船员及乘客免于放射性辐射是必要的。省去如今长途航行中所必须搭载的大量的燃料储备，反应堆的重量就被抵消了。

上述原理也适用于原子飞机。通过省去以前燃料的可观重量，飞机负载一个重约 60 或 70 吨的反应堆是绝对可行的。原子能驱动首先可考虑的是大飞机，例如用于远洋飞行的机型。根据美国的设计，钚将作为燃料使用。用反应堆所产生的蒸汽驱动四台总计 56000 马力的涡轮机来带动飞机螺旋桨。自重仅几千克的钚将足够飞行 500 万公里。飞机用原子反应堆已在计划中，人们很有希望通过它实现超音速不着陆长途飞行。

在美国，原子机车的建造也已经在计划中，它设计功率为 700 马力，长约 52 米。每年它将仅需要 5½ 千克的铀燃料。

✳ 词汇

① von etw. Gebrauch machen		利用（使用）某物
② auf/tauchen	*vi.*	浮出水面，冒出水面
③ die Mannschaft, -en		全体船员，全体水手，全体乘务员
④ die Turbine, -n		涡轮机，透平
⑤ PS (= Pferdestarke)		马力（功率单位）
⑥ der Propeller, - (= Luftschraube)		空气螺旋桨，飞机螺旋桨

✳ 难句

Das hohe Gewicht des Atomreaktors, das durch die dicken und schweren Schutzwände entsteht, die notwendig sind, um Mannschaft und Passagiere gegen die radioaktiven Strahlen abzuschirmen, wird dadurch aufgewogen, dass die erheblichen Treibstoffvorräte wegfallen, die heute auf längeren Reisen mitgeführt werden müssen.

这个长句中的主句结构是 Das hohe Gewicht des Atomreaktors wird dadurch aufgewogen。其中主语 das hohe Gewicht des Atomreaktors 后先接 das 引导的关系从句来修饰 Atomreaktor，再接 die 引导的关系从句来修饰 Schutzwände 和 "um...zu..." 结构来说明目的。主句结束后是一个 dass 引导的宾语从句，再接一个 die 引导的关系从句修饰 Treibstoffvorräte。

✳ 背景知识

核燃料是指可在核反应堆中通过核裂变或核聚变产生实用核能的材料。已经大量建造的核反应堆使用的是裂变核燃料铀 235 和钚 239。目前受技术水平限制，核驱动还只是应用在核潜艇及空间站上的动力堆。

Lektion 49

✳ 课文译文：

阿尔伯特 · 爱因斯坦解释相对论

在物理学领域，所有的运动只有在它们被置于某个特定的参考系中时，才能被理解。爱因斯坦通过一个例子解释了这一点：一个人站在一节匀速行驶的火车车厢的窗边。拿一块石头，不加任何推动力地让它落在铁路路基上。然后看到这块石头笔直地落下去。一个行人从人行道上同时看过去，发现这块石头以一条抛物线落到了地面上。这块石头实际上是如何落地的呢？石头落下时所经过的点组成的是一条抛物线还是一条直线？

两名观察者在同一个运动过程中，看到了两种不同的几何图像。现在爱因斯坦使我们明白，同一运动过程看起来或许不同。与火车车厢相关时，石头描绘的为一条直线。与地面相关时，石头描绘的为一条抛物线。爱因斯坦推断，没有本来的曲线，而只有与某个特定参考系相关时才会出现曲线。曲线与参照点有关，它是相对的。没有绝对的参考系。让我们跟上那列火车！然后我们感到，与地平线上某个固定的点相关，火车笔直的向前运动着。而我们也可以这样认为，它不是固定的。因为在此期间，地球继续自转，也继续围着太阳公转，太阳在某一轨道中继续穿行在宇宙，以至于每个所谓的地平线上的固定的点，早就消失在难以描述的参考系（地球、太阳、银河系、宇宙）的杂乱之中了。空间和时间是有相对性的。恒定不变的只有光速。因此它成为了爱因斯坦理论的中心。

✳ 词汇

① der Bahndamm		铁路路堤
② der Schwung		推动，促进；摆动，转动
③ geradlinig	*adj.*	笔直的，直线的
④ geometrisch	*adj.*	几何学的
⑤ folgern	*vt.*	得出结论，推断
⑥ angeblich	*adj.*	所谓的，自称的
⑦ der Wirrwarr		混乱，纷乱，杂乱

✳ 难句

Es steht einer am Fenster eines mit gleichbleibender Geschwindigkeit fahrenden Eisenbahnwagens.

einer 在这里作为不定代词，表示"某一个人"。eines Eisenbahnwagens 是第二格修饰 Fenster，中间 mit 带起的介词短语作状语修饰第一分词 fahrend，再作定语来修饰 Eisenbahnwagen。

＊ 背景知识

相对论是关于时空和引力的基本理论，主要由爱因斯坦创立，分为狭义相对论和广义相对论。相对论的基本假设是光速不变原理，相对性原理和等效原理。奠定了经典物理学基础的经典力学，不适用于高速运动的物体和微观条件下的物体。相对论解决了高速运动问题；量子力学解决了微观亚原子条件下的问题。二者构成了现代物理学的两大基本支柱。

Lektion 50

✳ 课文译文：

磁浮列车

磁浮列车设计诞生于德国，是磁悬浮列车的一种。磁浮列车是没有轮子的有轨电车，它借助在铁轨之上或旁侧的磁场悬浮起来，并沿轨道运行。它们的行驶速度可达每小时 500 公里。

在传统的铁路当中，轨道和车轮共完成三项任务：承载列车的重量，负责向一侧引导以及转化推动力和制动力。同样的任务在磁浮列车中由无需接触的磁力来完成。在列车中装置的强力电磁铁，将磁浮列车举起并向一侧推进。磁力的强度由电子控制系统来调节，使其适于列车与轨道间始终保持同样的间距。这样一来，磁浮列车就能够越过较小的障碍物，薄薄的冰雪层也不成问题。

磁浮列车的行驶速度在每小时 300 到 500 公里之间，明显高于高速列车（如城际快车）的速度。出色的加速能力使磁浮列车能够在很短的路程内达到很高的速度。在高速行驶的火车中，轨道与车轮高负荷易损耗，而磁浮列车无磨损。磁力的悬浮给旅客们带来了高度的乘坐舒适感。在轮式列车中不可避免的碰撞与行驶噪音，在磁浮列车中完全不存在。噪音只来源于高车速产生的风声。除此之外，磁浮列车是安全性较高的交通工具。由于列车包围着轨道，所以绝不可能发生出轨。

虽然与传统铁路相比，磁浮列车有本质上的技术优势，但是鉴于其必要基础设施的高昂成本，磁浮列车的发展前景仍存疑问。

✳ 词汇

① das Magnetfeld, -er		磁场
② schweben	*vi.*	浮动；悬（空挂）着
③ herkömmlich	*adj.*	传统的，习惯的
④ die Schiene, -n		钢轨，铁轨
⑤ die Berührung, -en		接触；联系
⑥ die Beschleunigung		加速度；加速性能
⑦ der Streckenabschnitt		一段路（程），路程
⑧ der Stoß, -̈e		碰撞，撞击
⑨ das Geräusch, -e		声响，噪声
⑩ entgleisen	*vi.*	出轨；失礼；离题

✱ 难句

Während bei schnell fahrenden Eisenbahnen die Schienen und Räder großen Belastungen ausgesetzt sind und schnell verschleißen, ist der Transrapid verschleißfrei.

während 此处引导一个表示对比的从句，从句主语为 die Schienen und Räder。从句中的第一组谓语 ausgesetzt sind 源于可分动词 aus/setzen （j-n/ sich/ etw. + einer Sache<Dativ> ... aussetzen "使遭受"）的被动用法。

✱ 背景知识

磁悬浮技术的研究源于德国。磁悬浮列车是一种靠磁悬浮力（即磁场的吸力和排斥力）来推动的列车。在位于轨道两侧的线圈里流动的交流电，能将线圈变为电磁体。它与列车上的超导电磁体相互作用，就使列车开动起来。磁力同时使车体完全脱离轨道,悬浮在距离轨道约一厘米处,腾空行驶不需接触地面,因此其阻力也只有空气的阻力。磁悬浮列车具有高时速、低噪音、安全舒适等特点。

自测题一

I. Ergänzen Sie das Personalpronomen!（填入人称代词！ 5%）

1. Wie geht es ....?
2. Arbeitest .... täglich?
3. Morgen fahre ich nach Nanjing, und Herr Li fährt mit ....
4. Das Kleid gefällt Frau Schulz sehr. Sie kauft .... sofort.
5. Am Sonntag hat Monika Geburtstag. Wir schenken .... ein Buch.

II. Setzen Sie das Adjektiv ein!（填入形容词！ 5%）

1. Gibt es .... (frisch) Blumen?
2. Er hat eine .... (weit) Reise in den Ferien gemacht.
3. Die Leistungen der .... (ausländisch) Studenten sind besser.
4. Li Ling wohnt in einem .... (groß) Haus.
5. Die .... (neu) Lehrerin kommt aus Berlin.

III. Setzen Sie die richtige Präposition ein!（填入正确的介词！ 5%）

1. .... wann bist du hier?
2. Er steht .... dem Fenster und liest einen Brief.
3. Habt ihr Geld .... der Bank?
4. Im Vergleich .... Michael läuft Thomas viel schneller.
5. Der Zug fährt .... sieben Uhr ab.

IV. Ergänzen Sie die passenden Modalverben!（填入恰当的情态动词！ 5%）

1. Hier .... man nicht rauchen.
2. .... ich etwas für dich tun?
3. Warum .... Tina nicht mitkommen?
4. .... Sie noch etwas Kaffee?
5. Es ist zu spät. Wir .... nach Hause gehen.

V. Verbinden Sie den ersten und zweiten Satz mit Konjunktionen!（用连词将第一句和第二句连起来！ 10%）

1. Der Lehrer fragt.

   Die Studenten antworten.
2. Ich kann nicht weggehen.

   Ich habe noch zu tun.

3. Frau Ye arbeitet nicht an der Universität.

Frau Ye arbeitet in einem Buchverlag.

4. Meine Schwester kann singen.

Meine Schwester kann tanzen.

5. Johann hat nicht geschrieben.

Johann hat nicht angerufen.

VI. Setzen Sie das Verb in richtiger Zeitform ein! （用动词的正确时态填空！ 10%）

1. Während Frau Weiß die Kinder .... (anziehen), ... (machen) Herr Weiß das Frühstück.

2. Sie .... im nächsten Semester ihre Doktorarbeit .... (bewältigen).

3. Vor zehn Jahren .... (geben) es nicht so viele Autos. Und die Verschmutzung der Luft .... (sein) nicht so schlimm.

4. Wang Ping .... schon an der Kommunistischen Partei .... (teilnehmen).

5. Nachdem er das Studium .... (beenden), ... (finden) er eine gute Arbeitsstelle in Shanghai.

VII. Setzen Sie folgende Sätze in Passiv! （将下列句子改成被动式！ 10%）

1. Mein Vater hat die Uhr repariert.

2. Wir sollen der alten Frau helfen.

3. Adele zeigt viel Fleiß bei ihrer Arbeit.

4. Man wird hier einen öffentlichen Park errichten.

5. Das warme Wetter beschleunigt das Wachstum von Pflanzen.

VIII. Ergänzen Sie den Satz mit Reflexivpronommen! （将反身代词填入句中！ 5%）

1. Wir haben einen neuen Computer bei .... zu Hause.

2. Die Bibliothek befindet .... neben dem Museum.

3. Wascht ihr .... das Haar täglich?

4. Du sollst .... in der Schule mehr anstrengen.

5. Das hätte ich .... nicht träumen lassen!

IX. Verbinden Sie die Sätze mit Relativpronommen! （用关系代词连接句子！ 10%）

1. Geben Sie mir die Tasche.

In der Tasche gibt es meine Bücher.

2. Er zieht in die neue Wohnung um.
   Die Wohnung liegt in der Nähe seiner Firma.
3. Der Baum ist wertvoll.
   Die Blumen des Baums sind wunderschön.
4. Der Schriftsteller kommt aus England.
   Ich habe den Schriftsteller vor einem Jahr kennengelernt.
5. Ulrich nimmt ein praktisches Geschenk an.
   Das Geschenk gefällt ihm sehr.

X. Bilden Sie Sätze mit Infinitiv oder Infinitivgruppen! (用不定式或不定式词组造句! 5%)

1. Das Ehepaar plant, ... (ein größeres Haus kaufen).
2. Am Abend sieht er immer fern, ... (Hausaufgaben nicht machen).
3. Das braucht nicht .... (ausführlich erklären).
4. Die Polizei behauptete, ... (den Verbrecher finden)
5. Meine Großeltern pflegen .... (früh aufstehen).

XI. Übersetzen Sie! (翻译! 30%)

1. Alle zwei Wochen geht Familie Schneider einkaufen.
2. Es ist möglich, dass wir um halb sieben angekommen sein werden.
3. Die von mir eingeladenen Gäste führen jetzt eine lebhafte Diskussion.
4. So schlimm wird es nach Meinung von Wirtschaftsexperten diesmal nicht kommen.
5. Wäre ich gestern nicht so eilig gewesen, hätte ich den Ausweis mitgenommen.
6. 我的办公室在三楼。
7. 长江比黄河长。长江是中国最长的河流。
8. 把你的箱子拿到房间里来! 请你今晚就住在这个房间吧!
9. 他们赢了比赛，这使我们感到很高兴。
10. 安娜问，周末是谁来了。

自测题二

I. Setzen Sie die richtige Präposition ein! (填入正确的介词！ 5%)

1. Heide hilft mir oft .... der Arbeit.
2. .... einen Freund hat er seine Frau kennengelernt.
3. Ist der Text Wort .... Wort übersetzt?
4. .... dem Bett hängt eine Lampe.
5. Sie sind .... ihrer Gruppenarbeit beschäftigt.

II. Ergänzen Sie das Prossessivpronomen! (填入物主代词！ 5%)

1. Wie oft besuchst du .... Großeltern?
2. Er arbeitet in der Fabrik .... Onkels.
3. Geben Sie bitte zuerst .... Namen an!
4. Die Mutter kauft einen großen Kuchen, der .... Kindern schmeckt.
5. .... Kollegin und ich haben die Aufgabe zusammen erfüllt.

III. Setzen Sie das Adjektiv ein! (填入形容词！ 5%)

1. Das ist eine .... (romantisch) Landschaft.
2. Wer bringt ihm die .... (wichtig) Nachricht?
3. Ich möchte .... (heiß) Milch mit Honig.
4. Die Miete des .... (alt) Hauses ist viel niedriger.
5. Mit einer .... (lustig) Geschichte fängt dieser Aufsatz an.

IV. Ergänzen Sie die passenden Modalverben oder „lassen"! (填入恰当的情态动词或 lassen！ 5%)

1. Sabine .... Chinesisch sprechen, aber nicht lesen.
2. Morgen .... ich auf jeden Fall abreisen.
3. Wer nicht arbeitet, ... auch nicht essen.
4. Der Leiter .... die Sekretärin die Formulare kopieren.
5. Er hat nie zu Hause bleiben ....

V. Ergänzen Sie den Satz mit Konjunktionen! (在句中填入连词！ 5%)

1. Kommt ihr zu uns .... wir zu euch?
2. Die Tasche ist .... schön .... praktisch.
3. In den Ferien habe ich keine Reise .... ein Praktikum gemacht.

4. Von Beijing werden wir .... fliegen .... mit dem Zug nach Moskau fahren.

5. Sie trinkt .... Kaffee .... Tee. Seit langem trinkt sie nur Wasser.

VI. Setzen Sie das Verb in richtiger Zeitform ein!（用动词的正确时态填空！ 10%）

1. Als ich ein Kind .... (sein), ... (wohnen) ich bei meinen Großeltern.

2. Seit zwei Tagen .... er im Wohnzimmer .... (fernsehen)

3. Anna sagte mir, dass sie einen schönen Urlaub an der See .... (verbringen.)

4. Wenn wir Zeit haben, ... wir Sie .... (besuchen) .

5. Nachdem er den Roman .... (lesen), gibt er ihn seinem Bruder zurück.

VII. Setzen Sie folgende Sätze in Passiv!（将下列句子改成被动式！ 10%）

1. Man übersetzt die Prüfungsordnung ins Chinesisch.

2. Liese hat das Wörterbuch gebracht.

3. Wegen des unerwarteten Besuches müssen wir das Vorhaben aufschieben.

4. Ihre Gruppe übernimmt die wichtigsten Aufgaben.

5. Man diskutierte viel in der Sitzung.

VIII. Setzen Sie das trennbar zusammengesetzte Verb ein!（填入可分动词！ 10%）

1. Wann .... die Geschäfte .... (aufmachen)?

2. Ich habe gehört, dass der Ingenieur jede Verantwortung .... (ablehnen).

3. Sie müssen am Wochenende die Arbeit .... (fortsetzen).

4. Er .... gestern den Betrag bei der Bank auf ihr Konto .... (einzahlen).

5. Als der Professor auf ein anderes Thema .... (überspringen), habe ich es nicht ganz verstanden.

IX. Verbinden Sie die Sätze mit Konjunktionen!（用连词连接句子！ 10%）

1. Sie erzielten große Erfolge.
   Sie arbeiteten immer sehr fleißig.

2. Sie sollen wissen.
   Wir haben zur Zeit sehr viel zu tun.

3. Man lebt.
   Man muss lernen.

4. Er ist müde.

   Er schläft auf dem Sofa.

5. Die Prüfung war ziemlich schwer.

   Wang Ping hat eine gute Leistung bekommen.

X. Stellen Sie Fragen nach den unterstrichenen Satzteilen!（对划线的句子成分提问！5%）

1. Wegen der Krankheit der Großmutter geht er nicht zur Arbeit.

2. Ich will noch zwei Wochen bleiben.

3. Hans´ Fahrrad liegt vor dem Haus.

4. Der Junge interessiert sich für Politik.

5. Mit ihren Kommilitonen hat Nelly das Drama inszeniert.

XI. Übersetzen Sie!（翻译！30%）

1. Ich habe keine Ahnung davon.

2. Zurückgekommen aus Deutschland, besucht er gleich seinen Lehrer.

3. Durch Anwendung neuer Arbeitsmethoden steigert man die Produktion.

4. Es gibt kaum ein Land, das die Leiter der deutschen Firmen so oft besuchen wie China.

5. Frau Schmidt sagt, dass ihr Sohn sie angerufen habe, bevor sie weggehe.

6. 看起来要下雨。

7. 我不知道她对什么不满意。

8. 他们彼此挨着坐下。

9. 德国约有8210万人口，其中730万外国人。

10. 没有改革开放，就没有我们今天的幸福生活。

参考答案

自测题一

I. 1. dir/Ihnen; 2. du; 3. mir; 4. es; 5. ihr.

II. 1. frische; 2. weite; 3. ausländischen; 4. großen; 5. neue.

III. 1. Seit; 2. an; 3. auf; 4. zu; 5. um.

IV. 1. darf; 2. Kann; 3. will; 4. Möchten; 5. müssen.

V. 1. Der Lehrer fragt, und die Studenten antworten.
   2. Ich kann nicht weggehen, denn ich habe noch zu tun.
   3. Frau Ye arbeitet nicht an der Universität, sondern in einem Buchverlag.
   4. Meine Schwester kann nicht nur singen, sondern auch tanzen.
   / Meine Schwester kann sowohl singen als auch tanzen.
   5. Johann hat weder geschrieben noch angerufen.

VI. 1. anzieht, macht; 2. wird, bewältigen; 3. gab, war; 4. hat, teilgenommen; 5. beendet hat, findet.

VII. 1. Die Uhr ist von meinem Vater repariert worden.
   2. Der alten Frau soll von uns geholfen werden.
   3. Viel Fleiß wird von Adele bei ihrer Arbeit gezeigt.
   4. Ein öffentlicher Park wird hier errichtet werden.
   5. Das Wachstum von Pflanzen wird durch das warme Wetter beschleunigt.

VIII. 1. uns; 2. sich; 3. euch; 4. dich; 5. mir.

IX. 1. Geben Sie mir die Tasche, in der es meine Bücher gibt.
   2. Er zieht in die neue Wohnung um, die in der Nähe seiner Firma liegt.
   3. Der Baum ist wertvoll, dessen Blumen wunderschön sind.
   4. Der Schriftsteller, den ich vor einem Jahr kennengelernt habe, kommt aus England.
   5. Ulrich nimmt das praktische Geschenk an, das ihm sehr gefällt.

X. 1. ein größeres Haus zu kaufen;
   2. ohne Hausaufgaben zu machen;
   3. ausführlich zu erklären;
   4. den Verbrecher gefunden zu haben;
   5. früh aufzustehen.

XI. 1. 隔一周施奈德一家就要去买东西。
   2. 有可能，我们六点半就到了。
   3. 我请来的客人们正进行着热烈的讨论。
   4. 根据经济专家们的观点，这次将不会变得那么糟糕。
   5. 要是昨天我不那么急，我会带上证件的。
   6. Mein Büro befindet sich im zweiten Stock.
   7. Chang Jiang ist länger als Huang He. Chang Jiang ist der längste Fluss in China.

8. Bring deinen Koffer ins Zimmer! Wohn bitte heute Abend in diesem Zimmer!
9. Sie haben das Spiel gewonnen, was uns sehr freute.
10. Anna fragt, wer am Wochenende gekommen sei.

自测题二

I. 1. bei; 2. Durch; 3. für; 4. Über; 5. mit.

II. 1. deine; 2. seines; 3. Ihren; 4. ihren; 5. Meine.

III. 1. romantische; 2. wichtige; 3. heiße; 4. alten; 5. lustigen.

IV. 1. kann; 2. muss; 3. soll; 4. lässt; 5. mögen.

V. 1. oder; 2. sowohl, als auch / nicht nur, sondern auch; 3. sondern; 4. entweder, oder; 5. weder, noch.

VI. 1. war, wohnte; 2. sieht, fern; 3. verbracht hatte; 4. werden, besuchen; 5. gelesen hat.

VII. 1. Die Prüfungsordnung wird ins Chinesisch übersetzt.

2. Das Wörterbuch ist von Liese gebracht worden.

3. Das Vorhaben muss wegen des unerwarteten Besuches aufgeschoben werden.

4. Die wichtigsten Aufgaben werden von ihrer Gruppe übernommen.

5. In der Sitzung wurde viel diskutiert.

VIII. 1. machen, auf; 2. abgelehnt hat; 3. fortsetzen; 4. hat, eingezahlt / zahlte ein; 5. übersprang.

IX. 1. Sie erzielten große Erfolge, weil sie immer sehr fleißig arbeiteten.

2. Sie sollen wissen, dass wir zur Zeit sehr viel zu tun haben.

3. Solange man lebt, muss man lernen.

4. Er ist so müde, dass er auf dem Sofa schläft.

5. Obwohl die Prüfung ziemlich schwer war, hat Wang Ping eine gute Leistung bekommen.

X. 1. Warum geht er nicht zur Arbeit?

2. Wie lange willst du noch bleiben?

3. Wessen Fahrrad liegt vor dem Haus?

4. Wofür interessiert sich der Junge?

5. Mit wem hat Nelly das Drama inszeniert?

XI. 1. 我对此毫无所知。

2. 从德国回来后，他立即去看望他的老师。

3. 人们通过使用新的工作方法来提高生产。

4. 几乎没有一个国家像中国一样，能让那些德国公司的主管们如此频繁地来访。

5. 施密特太太说，她离开前她的儿子给她打了电话。

6. Es scheint zu regnen.

7. Ich weiß nicht, womit sie nicht zufrieden ist.

8. Sie setzen sich nebeneinander.

9. Deutschland zählt rund 82,1 Millionen Einwohner, darunter 7,3 Millionen Ausländer.

10. Ohne Reform- und Öffnungspolitik hätten wir heute kein glückliches Leben.